100 DICTÉES POUR DEVENIR CHAMPION

Jean-Christian Pleau

100 DICTÉES
POUR DEVENIR
CHAMPION

Boréal

© Les Éditions du Boréal
Dépôt légal: 3ᵉ trimestre 1989
Bibliothèque nationale du Québec

Diffusion au Canada: Dimedia

Données de catalogage avant publication (Canada)

Pleau, Jean-Christian
100 dictées pour devenir champion
ISBN 2-89052-306-3
1. Français (Langue) — Exercices de dictées. 2. Français (Langue) —
Orthographe. I. Titre II. Titre: Cent dictées pour devenir champion.
PC2112.P53 1989   448.2'076   C89-096411-4

COMMENT UTILISER CE LIVRE

Le jeu de la dictée peut à la rigueur se pratiquer à deux, l'un des partenaires dictant le texte au second. Évidemment, pour faire une véritable compétition, il est nécessaire qu'il y ait plusieurs concurrents. Dans ce cas, il faut utiliser un système de «points» pour savoir qui est le gagnant. L'idéal serait de préparer un barème détaillé pour chacune des dictées: on pourrait, par exemple, noter avec plus d'indulgence lorsque la faute porterait sur une question d'usage, plus sévèrement sur une question d'accord, on tiendrait compte de la rareté des mots, etc. Toutefois, cette méthode exige de la part de celui qui joue le rôle d'arbitre une assez longue préparation, qu'il faudrait recommencer pour chaque dictée. Nous suggérons donc de s'en tenir aux règles suivantes:
— Enlever un point pour chaque mot mal écrit, peu importe la gravité de la faute ou le nombre de fautes dans le mot.

—Dans le cas où l'erreur ne concernerait qu'un accent ou un trait d'union, enlever un demi-point seulement.

—Lorsqu'un mot est répété plusieurs fois dans la dictée et qu'il est mal écrit chaque fois, n'enlever qu'un point.

—Enlever un point pour chaque mot oublié.

—Ne pas tenir compte des erreurs de ponctuation.

Si l'on est seul, on peut évidemment se contenter de lire les dictées, pour enrichir son vocabulaire ou découvrir de nouvelles règles de grammaire. Cependant, le lecteur doit être prévenu que ce livre n'a pas d'abord été écrit pour être lu. Ainsi, si l'on s'est efforcé de ne présenter que des textes fantaisistes ou amusants, en revanche on a complètement négligé les questions de style, de vraisemblance ou d'exactitude scientifique. Nos dictées ne sont certainement pas des modèles d'élégance ou de légèreté, et les médecins, les botanistes, les historiens pourraient y trouver beaucoup à redire. C'est que notre objectif principal était de tendre des pièges, et non pas de composer des «poèmes en prose» ou des chefs-d'œuvre d'érudition.

Le lecteur ne doit pas non plus s'attendre à trouver ici d'explications grammaticales. Si l'on avait voulu définir chaque mot ou expliquer chaque point obscur, le livre eût été aussi épais qu'un dictionnaire. Nos notes se contentent donc généralement de signaler les variantes orthographiques — beaucoup plus nombreuses qu'on ne le croit souvent. À cet égard, il faut remarquer que, même si l'on a tâché de recenser toutes les graphies acceptables de chacun des mots employés, il n'est pas impossible que certaines d'entre elles nous aient échappé.

Enfin, soulignons que ce livre n'a pas du tout été conçu pour être utilisé en classe. Les dictées que nous présentons sont en effet beaucoup trop ardues pour les enfants. Même, on pourrait dire que cet ouvrage ne contient strictement aucun enseignement utile, puisque toutes les difficultés que l'on peut y trouver sont de celles que l'homme moyen ne rencontrera jamais dans la vie courante. En outre, l'ordonnance du recueil n'a rien de pédagogique: les dictées ne sont pas classées, et les pièges y ont été distribués au hasard, sans aucun plan préconçu. En somme, notre livre n'a pas du tout l'ambition de remplacer les manuels et les grammaires, et le lecteur ne devrait jamais perdre de vue que nous ne nous sommes pas proposé d'autre but que de le divertir. À tous ceux qui voudraient apprendre l'orthographe d'une façon rationnelle, nous ne pouvons mieux faire que de conseiller de se tourner vers les ouvrages sérieux, comme ceux que nous mentionnons dans notre bibliographie.

1

UNE FÊTE VILLAGEOISE

La vieille duchesse douairière qui, cette année-là, était pourtant très souffrante, et qui, de plus, était fort affligée de la destruction de ses arbrisseaux exotiques qu'avait attaqués une armée de tenthrèdes déchaînées, s'était décidée à donner, comme elle en avait l'habitude, de grandes réjouissances pour célébrer la fête du saint patron de la paroisse. Le régiment local fut convoqué pour l'occasion, bien qu'il ne se fût pas encore remis des fatigues d'une campagne récente. Ainsi donc, les soldats que l'on avait vus combattre si courageusement à Dniepropetrovsk (mais non pas ceux que l'on avait vu massacrer par l'ennemi, bien entendu) défilèrent sur la place du village, vêtus d'uniformes des plus rutilants et coiffés de shakos[1] dorés. La joie des enfants fut extrême, cela se conçoit, d'autant plus que le shogoun[2]

11

japonais, présent par on ne sait quel hasard véritablement extraordinaire, leur distribua avec munificence des shillings anglais et des schillings autrichiens. L'instituteur, habile rhétoricien, fit un discours que l'on applaudit fort, et le curé, sanglé dans sa soutanelle neuve, fit chanter des Te Deum et des Magnificat. En somme, la fête eût été un franc succès, et la duchesse se fût parfaitement consolée des agressions intempestives des insectes hyménoptères, n'eût été d'un incident déplorable qui ternit quelque peu la joie générale. En effet, deux histrions, bien connus du curé qui les avait autrefois dénoncés en chaire, ayant peut-être abusé des vins de très grands crus qui coulaient alors à flots, ou peut-être ayant fait trop bonne chère, troublèrent par leurs plaisanteries salaces la solennité de la grand-messe d'action de grâces[3] et la grave piété du plainchant. Par bonheur, le colonel du régiment, qui n'entendait pas à rire, leur fit donner la schlague, et les deux compères patibulaires se le tinrent pour dit.

---

1. Ou «schakos».
2. Ou «shogun», ou «shōgun».
3. Ou «action de grâce».

2

UN VOYAGE EN ITALIE

Le professeur Lambert, spécialiste renommé d'archéologie classique, avait coutume de passer ses vacances en Italie. Cette année-là, ses jeunes collaborateurs et lui-même s'étaient résolus à explorer quelques maremmes peu fréquentées du littoral calabrais. Bien que l'équipe ne s'attendît pas à y faire des découvertes exceptionnelles, et bien qu'on fût certain de ne pas y renouveler les sensationnels exploits d'une précédente expédition sur la côte illyrienne, au cours de laquelle le professeur avait pu déceler les traces, fort surprenantes dans cette région, d'anciens établissements massaliotes — on espérait à tout le moins passer un été très agréable. Les jeunes chercheurs s'étaient même plu à penser que ce voyage en Italie serait une occasion de faire

13

du tourisme, et ils ne s'étaient donc pas plaints des projets de leur directeur. Leurs espérances, toutefois, devaient être amèrement déçues.

On avait pourtant pu croire, au début, que les fouilles se révéleraient fructueuses: on avait déterré, dans une enfonçure sablonneuse, un vase étrusque couvert de graffiti[1] très lisibles, une pelte grecque, et un objet métallique d'origine inconnue, vraisemblablement une pelle (encore que l'utilité d'un tel instrument, sous un climat méditerranéen, semblât[2] plus que douteuse). Malheureusement, le professeur se blessa au cours d'une manœuvre fort délicate — le déferrage d'un vieux coffre — et, malgré les efforts de l'officier de santé du village voisin, qui tenta de provoquer la suffusion de la sanie, la plaie se gangrena. Il fallut amputer le pauvre archéologue sur-le-champ. Comble de malchance, l'apothicaire local n'avait en stock ni chloroforme ni anesthésique, et le professeur dut se contenter, pour adoucir les souffrances de la cruelle opération, de quelques comprimés d'acide acétylsalicylique.

Les ennuis ne s'arrêtèrent pas là; il s'avéra que le coffre maléfique contenait une importante somme d'argent volé. La maffia[3], qui n'était pas étrangère à ce mystère, en fut promptement et diligemment informée par l'officier de santé qu'elle avait stipendié. Aussi, les jeunes chercheurs, qui s'étaient aventurés peu après dans un bistrot[4] mal famé[5], à l'occasion d'une fête patronnée par le patronat de la

14

région, se virent aborder par un lascar d'allure suspecte, entouré de fier-à-bras[6], qui leur intima l'ordre de restituer l'argent sans temporiser et sans tergiverser. Les archéologues obtempérèrent sans dire mot et quittèrent au plus vite ces régions inhospitalières.

---

1. Ce mot italien, employé ici au sens propre, est déjà au pluriel. (En italien, il existe un singulier «graffito», inusité en français.)
2. «Encore que» se construit avec le subjonctif.
3. Ou «mafia».
4. Ou «bistro».
5. Ou «malfamé».
6. Ou «fiers-à-bras».

3

LE HÉROS HUMILIÉ

L'huis de l'antique demeure bâillait. Le héros s'approcha précautionneusement et l'ouvrit avec circonspection. Sa cautèle cependant fut mise en défaut, et il n'échappa pas au traquenard machiavélique qui lui avait été tendu: un seau, empli jusqu'au bord d'un certain liquide (vraisemblablement aqueux, s'il faut en croire les témoignages les plus autorisés), lui chut sur la tête immédiatement après qu'il fut entré, et bien avant qu'il pût[1] seulement se rendre compte de l'imminence d'un tel danger.

Le héros, quoique indemne, se sentit ridiculisé et crut, à juste titre, que ses ennemis s'étaient ri de lui, ou même, ce qui est bien pis, qu'ils s'étaient joués de sa naïveté et qu'ils s'étaient efforcés d'épargner sa vie pour n'atteindre que son honneur et sa réputation héroïque. L'amertume du héros fut grande, et il se promit une vengeance éclatante. Rassemblant donc ses énergies, il se précipita vers l'intérieur de la maison. Quelle ne fut pas sa surprise d'y découvrir (au lieu du repaire d'espions et des appareils électroniques sophistiqués qu'on lui avait dit[2] s'y trouver) des meubles anciens et élégants, des boiseries, des draperies, des chefs-d'œuvre artistiques disposés partout avec un goût des plus sûrs, toutes choses en somme qu'il ne s'était pas attendu à rencontrer là, et qu'il n'aurait jamais pensé inspecter si justement il ne les avait pas crues[3] très différentes et beaucoup plus suspectes. Les précieux instants qu'il avait perdus dans cette maison sans intérêt (quoique indéniablement dangereuse) lui firent soupçonner que son enquête allait être gravement retardée, ce qui ne fut pas sans augmenter davantage son dépit.

---

1. «Avant que» se construit avec le subjonctif, «après que» avec l'indicatif.
2. Les participes marquant une déclaration ou une opinion et suivis d'un infinitif sont invariables lorsqu'ils sont employés avec avoir, l'infinitif étant l'élément essentiel de leur objet direct.
3. Ici, l'infinitif est sous-entendu, d'où l'accord. On écrirait cependant: «les choses qu'il avait cru être très différentes».

18

4

UNE PROCESSION SUSPECTE

Un prisonnier, qui logeait — bien malgré lui — dans un établissement pénitentiaire des plus modernes, eut un jour la curiosité de regarder par la fenêtre de sa cellule. Quelle ne fut pas sa surprise de voir s'avancer, sur le chemin vicinal qui bordait le pénitencier, une procession d'une grande solennité. Celle-ci était ouverte par deux porte-croix, suivis d'une armée de thuriféraires, qui agitaient des encensoirs d'où s'exhalaient des odeurs exquises et variées. Ensuite venaient des enfants de chœur qui faisaient tintinnabuler à qui mieux mieux des clochettes aux sonorités argentines tout en récitant recto tono des psaumes pénitentiaux. Cette incongruité ne manqua pas de surprendre le détenu, et fit naître chez lui un sentiment de suspicion: cette procession, si peu respectueuse des rites ecclésiastiques traditionnels, et qui poussait la bizarrerie jusqu'à célébrer avec tant de pompe une férie de rit simple, n'était peut-être qu'une mascarade, destinée à distraire l'attention des argousins?

Le prisonnier avait vu on ne peut plus juste: le pseudo-évêque dirigeant la procession, qui portait par-dessus son surplis, son rochet et sa mozette[1], une chape de grandes dimensions, et qui était coiffé, non d'une mitre, mais d'une barrette violette, était en fait un criminel notoire, qui n'avait revêtu ce déguisement et organisé cette feinte que dans le dessein de libérer les prisonniers. Les gardiens n'y virent que du feu: ils n'eurent pas le temps de se rendre compte que l'encens dissimulait un soporifique puissant auquel seuls étaient sensibles les esprits vertueux. Certains criminels, qui s'étaient ingéniés pendant des années à limer patiemment et sans succès leurs barreaux, furent presque attristés de s'en tirer aussi aisément. Ces excentriques étaient cependant en minorité et la plupart des prisonniers se livraient avec exubérance à des transports de joie. L'ordre moral en somme eût été bien compromis, si un commando d'agents secrets de premier ordre n'avait eu vent de l'affaire. Ces héros courageux et prévoyants, prévoyant le pire, s'étaient avisés d'emporter avec eux des masques à gaz, qui leur permirent d'affronter les effluves délétères, quoique embaumés, des dangereux encensoirs. La mutinerie fut ainsi réprimée, et les méchants punis.

---

1. Ou «mosette».

5

DES VACANCES BIEN EMPLOYÉES

Un certain fonctionnaire, dont la situation pécuniaire, sans être tout à fait confortable, était du moins très acceptable, avait décidé de prendre un congé sabbatique, afin de perfectionner ses connaissances et d'augmenter sa culture générale. Il entreprit tout d'abord de visiter les églises de la région, en commençant par celle où il avait été baptisé quelque quarante et un ans auparavant. Ce n'est pas sans émotion qu'il revit ce vénérable sanctuaire édifié en mil deux cent soixante-quatorze. Pendant plus de trois mille six cents secondes (c'est-à-dire une heure), et peut-être même plus de trois mille huit cent quarante-deux secondes (c'est-à-dire une heure, quatre minutes et deux secondes), il contempla l'architecture du bâtiment sans oser y entrer, tant sa jouissance esthétique était ineffable. Quelques bonnes raisons qu'on lui eût données, et quelque convaincants qu'eussent été les arguments qu'on lui eût exposés, on ne l'eût pas persuadé d'interrompre sa méditation pendant plus de quatre-vingts secondes, et, a fortiori, certainement pas pendant plus de quatre-vingt-une. C'est que, quelque mauvais juges qu'ils puissent parfois sembler dans les questions artistiques, les fonctionnaires n'en sont pas moins des esthètes fort sensibles.

Par la suite, le fonctionnaire rendit visite au desservant de la paroisse, un chanoine prébendé qui jouissait de quelque cent mille dollars de rente (pour être précis, cent mille deux cent vingt-huit), depuis qu'une vieille tante, fort bien vue autrefois au doyenné, et même à l'archevêché, lui avait laissé en mourant quelques cent mille dollars[1]. Le fonctionnaire visita en sa compagnie le baptistère de l'église, ce qui était, après tout, le but avoué de son pèlerinage. Puis, peut-être par déformation professionnelle (car un fonctionnaire, même en vacances, est toujours un fonctionnaire), il ne manqua pas de réclamer au curé une copie de son baptistaire, que le brave homme lui accorda de bonne grâce.

Le fonctionnaire fit encore beaucoup d'autres choses pendant ses vacances: malheureusement, si l'on devait les raconter en détail, on remplirait aisément trois cents millions huit cent vingt-quatre mille deux cent dix-sept pages, ce qui serait peut-être abusif.

---

1. Si le chanoine reçoit cent mille dollars de rente, c'est que sa tante lui en a légué au moins un million. Donc, dans le premier cas, «quelque cent mille dollars» signifie «environ cent mille dollars» et «quelque» est donc un adverbe, invariable; au contraire, dans le second cas, «quelques cent mille dollars» signifie «quelques centaines de milliers de dollars», d'où l'accord (puisqu'il s'agit alors d'un adjectif).

6

UN COLLOQUE PERTURBÉ

Une vieille dame fort aimable, quoique inintelligente et presque entièrement sénile, s'était un jour fourvoyée, à la suite d'on ne sait quel malencontreux hasard, dans un colloque des plus austères, auquel assistait une kyrielle (pour ne pas dire une myriade ou une pléthore, ou même, pourquoi pas? une pléiade) de philosophes renommés. La septuagénaire (car c'en était une, bien qu'elle n'eût que soixante et onze ans) ne s'était pas aperçue de l'inconvenance de sa présence en un tel lieu et, s'étant approchée d'un groupe de professeurs, leibniziens ou kierkegaardiens pour la plupart, et s'étant immiscée dans leur conversation, elle les effraya, les sidéra, les hébéta, les abasourdit et les bouleversa par l'énormité des propos qu'elle proféra. La bonne dame, il est vrai, n'avait jamais péché par excès de rationalisme et ne s'était jamais souciée de la justesse de ses raisonnements (bien qu'elle se fût toujours plu — modeste compensation! — à soigner son élocution).

Les philosophes, êtres rationnels s'il en fut jamais, ne purent tolérer, fût-ce une seconde, qu'une profane aussi extravagante, extravaguant et délirant sans cesse d'une manière si aberrante, se fût ainsi mêlée à leur docte assemblée. Bien qu'ils abhorrassent tous la bêtise et qu'ils ne pussent la souffrir, les philosophes n'osèrent cependant pas exprimer ouvertement leur ire, et la vieille dame fut mise à la porte avec la déférence qui était due à son grand âge. Passé[1] cette interruption, il faut l'admettre, tout à fait incongrue, les délibérations du colloque reprirent leur cours, et l'on put s'interroger en toute quiétude sur les modalités de l'appréhension intuitive et eidétique de l'être en tant qu'être et sur les difficultés de la définition thomiste de la quiddité.

---

1. «Passé» est ici une préposition, d'où l'invariabilité.

7

LES NOCES BERBÈRES

Deux cars de touristes japonais ou, si l'on préfère, nippons, s'étaient risqués dans une région maghrébine peu fréquentée, dans le seul dessein d'assister à des noces berbères. L'intérêt anthropologique et ethnologique d'une telle expédition était des plus indiscutables, et il eût d'ailleurs été étonnamment ahurissant que quiconque osât le discuter, excepté peut-être les Berbères, qu'on avait tenus dans l'ignorance de cette visite impromptue et inopinée, et qu'on s'était abstenu de consulter à l'avance, dans la crainte d'un refus. Toutefois, mis devant le fait accompli, les Berbères (que, rappelons-le, on avait omis de prévenir), contraints par les lois très strictes de l'hospitalité, durent impromptu[1] dresser de nouveaux couverts pour leurs quelque cent hôtes japonais (ou nippons, comme on préférera).

L'accueil fut correct, ni plus ni moins. Peut-être, en vérité, maugréa-t-on un peu, ce qui est fort naturel, aucun peuple, si bienveillant soit-il, ne pouvant voir d'un bon œil des gens qui se sont invités d'eux-mêmes à une fête qui devait être tenue à huis clos, mais, en somme, il n'y eut pas d'incidents[2] à déplorer. C'est-à-dire: il n'y eut ni bagarres ni échauffourées[3]. Il y eut bien certes quelques éclats de voix, engendrés par les inévitables quiproquos qui ne manquent jamais de survenir entre gens ne parlant pas la même langue, mais ils furent vite étouffés. La fête se déroula donc sans encombre[4] et suivit son cours normal: on improvisa de subtils épithalames en l'honneur des époux, on but du thé à la bergamote agrémenté de saccharose, et l'on offrit à la mariée de magnifiques couvre-chefs enrubannés, ce qui l'émut tant qu'elle fit une légère et bénigne épistaxis.

---

1. Ce mot joue ici un rôle d'adverbe.
2. Le singulier est acceptable.
3. *Idem.*
4. Le pluriel n'est pas acceptable.

8

UN MÉDECIN INGÉNIEUX

Un certain marchand de fruits et de légumes avait un jour reçu de son fournisseur habituel — un maraîcher peu scrupuleux — un contingent entier d'agrumes défraîchis. Le pauvre homme se croyait ruiné: comment allait-il s'en débarrasser? Il y en avait tellement que son échoppe exiguë suffisait à peine à les contenir. Le marchand sombra dans un désespoir profond. Comme un malheur ne vient jamais seul, il fut peu après atteint de chorée. On manda sur-le-champ un médecin, qui ne put que constater la gravité du cas. «Le bonhomme a chopé là une fameuse maladie», s'écria l'homme de l'art, qui ne manqua pas ensuite d'exhorter au calme la femme du malheureux. C'est que le convulsionnaire avait vraiment mauvaise mine: tout son visage était couvert par la bave spumescente qui s'échappait de sa bouche. «J'espère, Madame, ajouta le médecin, que les cris de votre mari ne vous ont pas nui, et qu'ils ne vous ont pas empêchée de dormir?

—Hélas oui, répondit l'épouse éplorée. Je me suis vainement acharnée à le faire taire, mais il est impossible de le bâillonner. Si encore il cessait de remuer et de ballotter ainsi...

—Tout cela pour une malheureuse transaction ruineuse! reprit le médecin. Sans vouloir m'immiscer dans vos affaires, Madame — encore que cette immixtion me semble ici justifiée — je crois que vous devriez restituer au filou qui vous les a vendus les agrumes incriminés. Supprimant ainsi la cause, on supprimerait l'effet, et votre mari retrouverait la santé que n'ont pu lui redonner les procédés thérapeutiques conventionnels.»

Le médecin sourit avec une fatuité des plus exhilarantes, et il conclut: «C'est ce qu'on appelle, en termes d'École, un raisonnement discursif et syllogistique.»

9

MÉLODRAME VICTORIEN

Un richissime industriel, passablement véreux et quelque peu atrabilaire, se promenait à la campagne par une journée d'hiver exceptionnellement rigoureuse. Chemin faisant, il arriva chez un certain comte, plus ou moins de ses amis, qu'il avait rencontré autrefois lors d'un match de polo. L'affairiste lui adressa la parole: «Eh bien, Comte, que faites-vous là? Vous pelletez[1]?

—Bien observé, répondit le châtelain, je pellette.

—Vous avez tort: vous haletez comme un beau diable, et je crains pour votre cœur. Pourquoi n'engagez-vous pas davantage de domestiques?

—Baste! Je ne halète[2] pas tant que vous dites, et quant aux domestiques ils sont si chers, et les temps sont si durs...»

Le comte semblait fort contrarié de cette rencontre inopinée, et il avait bien raison: la sollicitude de l'homme d'affaires était assurément teintée de persiflage, car il eût été vraiment inouï que ce dernier pût faire preuve d'un sentiment désintéressé. «Dieu seul sait ce qu'il mijote», pensait le comte en son for intérieur.

L'industriel, après un long moment d'hésitation, reprit la parole: «Comte, parlons franchement: vous êtes ruiné. Votre château est délabré, les herses en sont rouillées, les pinacles et les bretèches tombent en poussière. Vos chevaux s'encastèlent[3], vos chiens sont faméliques, et les loques que vous portez ne remplissent même plus leur rôle de cache-misère[4]. Eh bien! moi qui suis votre ami, je veux vous aider. Cédez-moi votre château, et je déchire vos lettres de change. Je vous tiendrai quitte de tout ce que vous me devez.

—Mais vous êtes fou, rugit le comte, ce château vaut bien davantage.

—Certes, mais les millions qu'il vous a coûté ne sont rien au regard des ennuis qu'il vous a valus[5]. De toute façon, j'ai de quoi vous faire plier. J'ai des preuves, des preuves irréfutables, irréfragables, irrécusables, contre Madame votre épouse...»

Le comte blêmit: «Demain matin, près de la rivière, Monsieur. — Soit!» ricana l'homme d'affaires en s'éloignant.

La comtesse, qui savait lire sur les lèvres, avait

suivi toute la conversation par la fenêtre. Elle s'était laissée tomber dans un fauteuil en sanglotant: «Quoique je ne me sois jamais laissé[6] séduire, on ne voudra jamais croire à mon innocence, les apparences sont contre moi.» Saisissant alors un fragment de poterie pélasgienne particulièrement tranchant (car le comte, archéologue chevronné, en possédait toute une collection), elle s'apprêta calmement à faire face à son destin.

---

1. «Pelleter» se conjugue comme «jeter».
2. «Haleter» se conjugue comme «acheter».
3. «S'encasteler» se conjugue comme «modeler», le «l» n'est donc jamais redoublé.
4. «Cache-misère» pourrait être singulier ou pluriel, mais peu importe, car ce nom est invariable.
5. «Coûté» est invariable, car il est employé au sens propre, mais «valu» s'accorde, car il est employé au figuré. Cette règle s'applique aussi à «couru», «pesé», «vécu», etc.
6. «Elle s'est laissée tomber»: il y a accord du participe, car «se» mis pour elle est complément direct de «laissé». Au contraire, il n'y a pas accord dans «elle s'est laissé séduire», car «se» mis pour «elle» est complément direct de «séduire», et non de «laissé».

10

UN HÔPITAL ACHALANDÉ

Lépreux, pellagreux et scrofuleux avaient envahi l'hôpital local. Le médecin-chef, affolé par cette recrudescence aussi étrange qu'imprévue de cas pathologiques inhabituels, ne savait plus où donner de la tête. Comment expliquer, en effet, cette inquiétante épidémie qui prenait des proportions quasi tragiques[1]?

Les chambres plutôt exiguës et trop peu nombreuses de l'institution hospitalière ne suffisaient plus à abriter la foule immensurable des grabataires, au point qu'une respectable nonagénaire, qui s'était coupé l'oreille dans une course de toboggans, s'y était vu refuser une place et avait dû se faire soigner chez elle, malgré l'indéniable et indubitable gravité de son cas. Les couloirs même[2] de l'hôpital étaient encombrés de malades. Ainsi, une parturiente, pourtant affligée d'une pernicieuse fièvre puerpérale, avait accouché à même le parquet du hall d'entrée. Le médecin-chef, vu[3] les circonstances, avait pris la louable initiative de loger dans son bureau un milliardaire alcoolique, qui était tourmenté par une douloureuse cirrhose depuis qu'il avait ingurgité des quantités excessives de trappistine.

Cette situation exceptionnelle et fort peu traditionnelle (pour ne pas dire complètement irrationnelle) n'avait certes pas été sans perturber l'humeur et la santé du corps médical. Outre l'affolement susmentionné du médecin-chef, on rapporte qu'une infirmière pourtant particulièrement aguerrie fut traumatisée par la vue d'un pestiféré couvert de pustules trapézoïdales. Un jeune médecin philosophe, que le spectacle de cet hôpital en folie avait plongé dans une angoisse métaphysique et transcendantale, tenta de se suicider. Comme il était de confession israélite, on le confia à son rabbin (un massorète traditionnaire, quoique fort peu traditionaliste, qui était très respecté pour ses travaux exégétiques). On évita ainsi de surcharger le service psychiatrique de l'hôpital, qui hébergeait un régiment entier de majorettes, devenues subitement folles après qu'un boxeur misogyne leur eut[4] systématiquement décroché le masséter au moyen d'une série de coups de poing bien sentis.

1. Il n'y a pas de trait d'union, car «quasi» est suivi d'un adjectif.
2. «Même» joue ici un rôle d'adverbe, car il pourrait être placé devant le nom («même les couloirs») et il n'exprime pas une idée de similitude.
3. «Vu» employé sans auxiliaire et placé devant le nom est invariable.
4. «Après que» ne peut pas être suivi du subjonctif.

11

UN FANTÔME MALADROIT

Un fantôme anglais, dont l'allure était fort peu fantomatique, s'affligeait véhémentement de ne plus inspirer la crainte. Quoi qu'il fît, quelque ingénieuses que fussent ses diaboliques inventions, quelques beaux et louables efforts qu'il y mît, il ne parvenait plus à effrayer les nombreux touristes qui avaient envahi son château. Bien pis, une agence touristique, qu'on avait toujours cru devoir respecter pour sa grande honnêteté, et qu'on avait même estimé être supérieure à toutes ses concurrentes (quoique en vérité, certains perfectionnistes ne l'aient jamais crue dépourvue de défauts), cette agence touristique, donc, avait poussé l'impudence jusqu'à vanter et publier l'existence du malheureux fantôme dans un dessein mercantile.

La stratégie était bonne: l'afflux des visiteurs était tel qu'on songeait, au grand dépit du fantôme, à agrandir et à moderniser le château. Cela n'eût certes fait qu'aggraver le désespoir du revenant qui, de plus en plus, constatant les échecs répétés de ses méfaits surnaturels, développait un complexe d'infériorité et craignait désormais de s'exhiber en public, du moins en plein jour. Il était déjà fort désagréable pour lui de voir des enfants turbulents batifoler dans les coins les plus secrets de son château, mais si celui-ci devait être rénové, comme le souhaitaient les promoteurs, et que, par exemple, on lui ajoutât une aile et qu'on l'exhaussât d'un, ou même de deux étages, le fantôme se verrait obligé de quitter à jamais son gîte: c'est qu'un esprit ne peut survivre que dans un lieu qui soit en harmonie avec sa nature. Il fallut néanmoins se résoudre à cette extrémité, extrêmement pénible, comme on s'en doute. En fait, le fantôme fut tellement outré de cette expropriation que, dans sa fuite, tout immatériel qu'il fût, il choppa contre une pierre et macula de boue son magnifique suaire blanc.

12

UN EXPLOIT QUICHOTESQUE

L'hidalgo castillan avait enfourché sa hideuse haridelle, et s'était armé d'un tromblon archaïque que lui avaient légué ses farouches aïeux. Il entendait traquer, avec cette arme redoutable, un malheureux chat haret, venu on ne sait d'où, qui décimait le petit gibier de son fief. Son épouse, matrone pourtant autoritaire, n'était pas parvenue à le dissuader de s'engager dans cette périlleuse entreprise. En vain ses deux grand-mères[1] s'étaient épuisées à le convaincre, en vain ses deux aïeuls[2] s'étaient succédé auprès de lui dans le même dessein. Rien ne pouvait ébranler la détermination du téméraire hidalgo: le félin félon expierait ses larcins.

Le danger de l'expédition, à vrai dire, ne résidait pas dans l'éventuelle férocité de l'animal pourchassé. On craignait plutôt, et à juste titre, qu'une fêlure invisible eût altéré la culasse de l'antique pétoire dont s'était muni le chasseur, ce qui n'eût pas manqué de provoquer, au premier coup de feu, une dangereuse et peut-être meurtrière déflagration. Quand même il en fût réchappé vivant, l'hidalgo eût vu son noble visage à jamais flétri par les éclats provenant de la détonation. Cette perspective, on le sent bien, n'avait rien de particulièrement affriolant pour son épouse bien-aimée, et c'est pourquoi cette dernière avait du mal à retenir ses larmes. Plus ému et plus effrayé qu'il ne voulait le laisser paraître, l'hidalgo embrassa sa famille et légua à son jeune fils un magnifique stylet à manche de rohart. Après quoi il s'enfonça courageusement dans la sylve menaçante. Hélas, le chat resta mystérieusement introuvable. Le chasseur eut beau l'appâter de toutes les façons, rien n'y fit, et il fallut enfin se résigner à rentrer bredouille, au risque d'affronter les plus vexants quolibets. Il n'y en eut point cependant, car la famille se montra fort compréhensive, et ne songea qu'à fêter le retour du *padre* prodigue.

---

1. Certains dictionnaires récents tolèrent le pluriel «grands-mères».
2. Aïeul, au sens de «grand-père», a pour pluriel «aïeuls». Au sens d'«ancêtre», il a pour pluriel «aïeux».

13

SUR LES MÉFAITS ET LES IMPAIRS DE L'ARISTOCRATIE RURALE

Les gentilshommes campagnards sont des bonshommes pleins de bonhomie. Il convient toutefois de ne pas se laisser duper par leur air bénin dont la patelinerie est souvent trompeuse. Ce sont en fait de rusés gaillards, et parfois même de fameux lascars. Si la plupart d'entre eux sont inoffensifs, il n'en reste pas moins que certains, certes peu nombreux, sont de vrais brigands et d'authentiques malappris. On en cite un, par exemple, qui se distingua en briguant avec force tricheries et malhonnêtetés la mairie de son patelin. Un autre s'était rendu célèbre en terrorisant les péquenots[1] locaux sur lesquels il lâchait par jeu son redoutable mastiff. La palme de la cruauté revient néanmoins incontestablement à cet autre qui distribuait des bigarreaux excessivement sulfatés (et par conséquent malsains) aux enfants de ses créanciers, et qui s'exerçait à catcher en souffletant de vieux croquants séniles et des sans-le-sou toxicomanes recrutés à cette fin.

Les noires actions de ces coquins notoires sont, il faut qu'on le répète, et on le répétera tant qu'il le faudra, des exceptions d'une exceptionnelle rareté. L'immense majorité des gentilshommes campagnards ne s'est jamais illustrée que par des exploits d'une parfaite innocuité. L'un d'entre eux par exemple avait surpris toute sa famille en épousant d'incroyables maries-salopes, toutes d'un âge avancé, et qui toutes moururent rapidement après l'avoir obligé à s'endetter. D'autres dépensèrent des fortunes pour de coûteux safaris dans de lointaines colonies, ce qui les discrédita aux yeux de toute la société bien-pensante[2], peu faite pour sentir le prix de cet héroïsme cynégétique. C'est bien là que se révèle, et que se révélera toujours la différence entre la bourgeoisie, qui ne connaît guère d'autres émotions fortes que celles que procurent le whist et la belote, et la flamboyante aristocratie — fût-elle rurale.

---

1. Ou «péquenaud», ou «pecnot».
2. On écrit aussi «bien pensante».

14

FAUSSE ALERTE

La cornue bout. Des fumées fuligineuses et suffocantes obscurcissent le laboratoire. Seul au milieu de cet enfer, l'air hagard et ahuri, les lunettes de guingois, le col dégrafé, la cravate dénouée, torturé par les affres de la *libido sciendi*, le savant fou surveille l'évolution de la cruciale expérience qu'il essaie de mener à bien. Les gaz qui s'échappent de la cornue en volutes bleutées, presque noirâtres, ne laissent pas cependant de l'inquiéter. La combustion de la subtile mixture qu'il a composée et qu'il a mis si longtemps à préparer lui semble beaucoup trop vive. Avec un mélange aussi détonant, on peut s'attendre à n'importe quoi. Un rien suffirait à susciter la catastrophe: un souffle, un bruit, la chute d'un simple corpuscule de poussière, peut-être.

La sueur perle maintenant sur le front du savant fou: le succès de son expérience dépend désormais du seul hasard, et seule une analyse stochastique détaillée lui révélerait le pourcentage exact de ses chances de survie. Le savant, à tout moment[1], jette des regards anxieux sur l'ardoise où il a précédemment noté — à l'arcanne, et non à la craie, Dieu sait pourquoi — les équations mystérieuses qui sont les arcanes suprêmes et compliqués de sa science secrète. Se serait-il trompé dans ses calculs? Aurait-il fait plutôt quelque erreur de manipulation? Les réflexions angoissées du savant sont alors brutalement interrompues: il vient d'entendre un bruit fracassant. Serait-ce déjà l'explosion, la déflagration, le commencement de la réaction en chaîne qui provoquera la fatale apocalypse? Surmontant sa peur, le savant ouvre les yeux: ce n'était que sa servante qui venait de casser une assiette en lui apportant son rôt à l'ailloli[2].

---

1. Ou «à tous moments».
2. Ou «aïoli».

15

UNE CÉRÉMONIE ÉMOUVANTE

Le pieux centurion, avant même que le peuple romain, plèbe et patriciat réunis, ne lui eût accordé le triomphe que lui avaient incontestablement valu ses victoires, se rendit en grande pompe au sanctuaire capitolin voué au culte de Jupiter Férétrien, pour y consacrer les dépouilles opimes. Le combat avait été rude. Durant de longues heures, les légionnaires de Rome et les soldats carthaginois s'étaient affrontés. La vertu romaine avait cependant eu raison de la ruse punique. L'un des suffètes avait fui, déshonoré, l'autre avait été impitoyablement occis.

Le flamine et le grand pontife, sur le parvis du temple, attendaient le glorieux vainqueur. Plus en retrait, siégeant dignement sur leurs chaises curules,

les consuls, les magistrats et les édiles contemplaient avec reconnaissance et admiration le sauveur de la cité. Le centurion, rosissant d'émotion, récita dévotement les oraisons prescrites. Ayant rendu grâce au père des dieux, il offrit des libations au dieu de la guerre, aux lares, aux pénates. Se tournant ensuite vers le peuple assemblé, il l'invita à fêter la fin des hostilités. Pour ne pas être en reste, les consuls, vaguement inquiets, peut-être, de l'ascendant et du charisme de ce général, firent distribuer à la foule des sacs entiers de sesterces, et ordonnèrent qu'on organisât des jeux.

Quant au centurion, sans se mêler davantage à l'allégresse publique, il se retira dans son latifundium, où il possédait une magnifique villa. Là, près de sa famille, il goûta les joies simples d'une vie rustique, rêvant toutefois d'autres victoires et d'autres cieux à conquérir.

16

LES FANTAISIES D'UN ENTREPRENEUR

Un magnat de la batellerie, qui possédait plusieurs centaines de péniches, avait décidé de donner de l'extension et de l'expansion à son entreprise. Il était las, en effet, de la monotonie de ses affaires: après avoir consacré trente et un ans de sa vie au transport de la houille, de la pechblende et de certains autres minerais (bauxite provençale, lignite brut, moellons ferrugineux, amiante, feldspath, granit[1], chalcopyrite, etc.), il aspirait à de nouveaux défis. Surtout, il souhaitait abandonner la navigation fluviale au profit de la navigation au long cours (car ses navires n'avaient jamais navigué que sur le Rhône et sur la Saône, et ne s'étaient jamais aventurés au-delà).

L'armateur vendit donc toutes ses péniches et commanda qu'on lui fabriquât une flotte de cargos, de paquebots et d'avisos — bateaux qui, comme chacun sait, peuvent affronter la haute mer. Il aurait également désiré se procurer un bathyscaphe, mais il en fut dissuadé par sa femme qui le convainquit qu'un tel engin constituait un investissement trop risqué, et qu'il valait mieux consacrer l'excédent des sommes provenant de la vente des péniches à l'achat d'une collection de manteaux de fourrure et de colliers de diamants.

Le magnat obéit à sa femme et renonça momentanément à sa lubie, mais, par la suite, il trouva un subtil expédient: il se contenta d'affréter un bathyscaphe pour une courte expédition. Cet affrètement, il est vrai, quoique modique, ne fut pas sans déplaire à l'exigeante et acrimonieuse épouse, mais il permit à l'homme d'affaires de réaliser un vieux rêve, c'est-à-dire de contempler les profondeurs abyssales de la Méditerranée, sur le fond de laquelle il eut la chance d'apercevoir l'épave admirablement bien conservée d'un chébec[2].

---

1. Ou «granite».
2. Ou «chebec», ou «chebek».

17

JUSTICE MÉDIÉVALE

Le vidame de l'archevêque de Poitiers avait ordonné qu'on arrêtât un quidam appelé Léon, bélître plutôt bellâtre, qui vivotait de rapines et de méfaits de toutes sortes. Cet individu patibulaire, au caractère acrimonieux, avait acquis une bien mauvaise réputation, et on le soupçonnait d'activités illicites aussi peccamineuses[1] que nuisibles, tels le racket, le recel d'objets volés et le proxénétisme. Le bailli fit porter sur-le-champ à la prévôté une copie du mandat d'arrestation dûment contresignée par un tabellion de la chancellerie archiépiscopale et munie du grand sceau de l'archevêché. Le prévôt manda immédiatement le capitaine des troupes du guet pour convenir d'un plan d'action.

La capture du coquin et de ses sbires s'annonçait fort malaisée. Il était hors de question de l'accoster ou de l'interpeller en plein jour: le maraud, très méfiant, flairerait de loin le piège et se déroberait sans aucune difficulté, fuyant par le lacis des ruelles étroites que les vauriens seuls connaissent. Le problème, de fait, paraissait insoluble. Le prévôt était trop pusillanime pour adopter quelque parti que ce fût, et la sottise du capitaine trop grande pour qu'il pût proférer autre chose que des coquecigrues. La solution la moins impraticable eût été de procéder nuitamment à une rafle dans le repaire même des faquins, dont l'emplacement était approximativement connu. C'est à cela qu'on se résolut enfin.

La surprise des maroufles fut totale: onques[2] ne vit-on opération si bien menée, et le prévôt fut loué en haut lieu. Le vidame exigea de juger en personne le chef des voyous, et le condamna au châtiment exemplaire qu'il avait bien mérité.

---

1. «Peccamineux»: adj. (du latin *peccamen*, péché). Relatif au péché. Ce mot ne figure pas dans les dictionnaires courants.
2. Ou «onc», ou «oncques».

18

DRAME FAMILIAL

Le pater familias courroucé avait mandé à lui sa tribu. Même la vieille et respectable aïeule s'était pliée sans rouspéter à ce commandement sans réplique. La famille craintive et soumise s'était donc silencieusement attroupée autour de son chef incontesté, et attendait avec anxiété qu'il se décidât à prendre la parole. L'auguste père différait, avec une volupté non dénuée d'une certaine cruauté, l'instant décisif et solennel. Balayant des yeux son auditoire, un demi-sourire aux lèvres, il repassait en esprit la harangue ampoulée et amphigourique qu'il allait incessamment prononcer. La tension était littéralement insoutenable, et l'attention des auditeurs était extrême. Les supputations les plus farfelues et les plus irréalistes allaient bon train, et chacun se perdait en conjectures. De quoi le père parlerait-il donc? Qui donc, en le provoquant d'une façon provocante, avait provoqué sa colère et son courroux? En fait, on pouvait s'attendre à tout. Peut-être dénoncerait-il avec virulence sa malheureuse mère, qui dépensait avec prodigalité ses maigres économies pour soigner sa collection de fuchsias et de dahlias. Peut-être menacerait-il son fils débauché d'exhérédation, ou peut-être ferait-il du pathos pour l'exhorter à s'amender. Mais peut-être se bornerait-il également à faire un exposé serein sur les principes du congrégationalisme dans l'église presbytérienne, ou sur le manque flagrant de professionnalisme des cyclistes libyens.

Le père desserra les lèvres et ouvrit enfin la bouche. Et ce fut alors le drame: terrassé par un infarctus du myocarde, il s'effondra sans avoir pu dire un traître mot. On ne saurait donc jamais ce qu'il avait voulu dire! Atterrés par cette perspective, les membres de la famille oublièrent de pleurer leur tyran, et furent affligés d'une telle frustration que seul un psychanalyste eût pu les en soulager.

19

HISTOIRE DE CHASSE

Le trappeur avait disposé ses appâts. Les foulques affriandées par l'alléchante odeur — autrement dit par l'allèchement du piège — se ruèrent dans la chausse-trape[1] qu'on leur avait tendue, sans soupçonner un seul instant qu'il pût y avoir un quelconque danger. Qu'on ne croie pas pour autant que ces volatiles soient peu subtils ou imbéciles. En effet, parmi les nombreuses espèces d'échassiers, il en est peu qui, autant que les foulques, peuvent se prétendre éloignées[2] de l'imbécillité. En fait, ces oiseaux graciles sont simplement un peu trop fébriles — d'aucuns diraient même versatiles: ils sont sujets à des mouvements d'humeur, à des coups de tête, qui les conduisent à prendre des décisions hâtives, brusquées et — disons-le — irréfléchies. Voilà la raison profonde de leur précipitation et de leur imprudence: non pas l'incapacité de réfléchir, mais bien l'irréflexion.

Cette étourderie eût bien pu, cette fois, leur être fatale. Ils furent sauvés, in extremis, par un événement aussi surprenant qu'inattendu, et au demeurant extrêmement invraisemblable. Une cohorte d'alligators (ou, si l'on préfère, de caïmans) surgit subitement du fond des abysses (ou de l'abîme, comme on préférera), et se dirigea irrépressiblement vers le trappeur, avec des intentions indubitablement suspectes. Ce dernier n'épilogua point sur l'absurdité de la présence de ces reptiles sous un climat tempéré, et il prit ses jambes à son cou, se promettant bien de se choisir un passe-temps moins risqué. C'était là le but visé par le commando d'écologistes qui avait lâché dans les marais les susdits crocodiliens. Les écologistes libérèrent et soignèrent les malheureux oiseaux. Hélas, cette bonne action eut des conséquences fâcheuses et imprévues: avant que les écologistes ne pussent récupérer leurs voraces alligators, ces derniers se sustentèrent sans vergogne de tous les animaux de la région.

----

1. Ou «chausse-trappe».
2. Ce sont les espèces qui sont éloignées.

20

UN CONVENT MAL ORGANISÉ

C'est dans un petit village isolé de la vallée rhoda-
nienne — un village occitan — que s'étaient réunis,
dans le plus grand secret, les plus éminents spécialistes des sciences occultes. À vrai dire, n'eût été la
présence de nombreux radiesthésistes, le convent
n'eût jamais pu avoir lieu: par deux fois en effet, la
docte assemblée manqua de s'égarer, et ce n'est
qu'à coups de pendule qu'on parvint à s'orienter
(les occultistes sont des gens trop compliqués pour
avoir l'idée de se munir d'une simple boussole). Cet
incident toutefois retarda indûment leur arrivée au
village, ce qui ne fut pas sans poser quelques problèmes: l'heure du dîner survint, et l'on n'avait pas
prévu d'emporter des provisions. Heureusement, là
encore, on put compter sur les quelques rhabdo-

manciens[1] présents, qui découvrirent une source. C'était une bien légère compensation, mais c'était tout de même mieux que rien. L'un des astrologues prédit ensuite que tout finirait par s'arranger, ce qui consola tout le monde.

Effectivement, quelques heures plus tard, s'ouvrait enfin la réunion. Ce fut un franc succès. Les congressistes s'étaient si bien laissé charmer par les orateurs qu'ils ouïrent alors, qu'ils oublièrent de s'interrompre pour le souper, bien qu'ils n'eussent pas mangé depuis l'aurore. Tous en souffrirent d'ailleurs par la suite, et regrettèrent de s'être ainsi laissés aller, excepté quelques moines bouddhistes, rompus à la pratique du jeûne, qui en avaient vu bien d'autres au cours de leur longue carrière ascétique, et qui ne furent pas autrement incommodés par ce contretemps. Comme il était trop tard pour se rendre à l'auberge du village, on dut se contenter de mangeotter et de grignoter quelques fruits secs qu'un mage, plus prévoyant que les autres, avait achetés au début de l'après-midi.

---

1. Ou «rabdomanciens».

21

UN PRÉCIEUX GUÉRIDON

La femme du menuisier s'était surpassée: avec un soin quasi amoureux, elle avait poli les planches de hickory et de pitchpin qu'avait équarries son mari. La phase la plus délicate du travail allait pouvoir commencer. Il s'agissait, ni plus ni moins, d'assembler un guéridon qu'on ornerait ensuite de marqueterie. Comble de bizarrerie, ce meuble devait être de forme rhombique. La vieille duchesse vaguement sénile (et peut-être même schizophrène) qui l'avait commandé au menuisier avait exigé qu'on le fît ainsi, et pas autrement. Elle projetait, disait-elle, de le recouvrir d'une toile de batiste et de s'en servir comme support pour son pittosporum favori.

Le menuisier n'avait pas discuté cet extravagant dessein. «Peu me chaut, disait-il à son épouse, qu'on utilise mes œuvres — et des bois si précieux! — à des fins aussi triviales. L'important est qu'on me paie[1], et la duchesse paie bien. Il ne sied pas de contredire une cliente aussi honorable.» Une fois le vernis séché, le menuisier se hâta donc d'accomplir les volontés de la duchesse. Il ne lésina pas sur les matériaux. Peu importait que la marqueterie fût destinée à demeurer invisible sous le ridicule napperon dont la duchesse prétendait affubler son guéridon: c'est avec du myrte et de l'ébène qu'il la composa.

L'œuvre fut solennellement et précautionneusement portée à la vieille dame. Cette dernière, en vérité, était peu faite pour en sentir tout le prix. Elle s'en déclara insatisfaite, et n'accorda que de bien mauvaise grâce au menuisier les honoraires fixés. Puis, ne sachant que faire de l'objet, elle le fit transporter dans la cuisine. La cuisinière en fut fort incommodée, car la place manquait, et le guéridon était bien encombrant. Désespérant de lui trouver une quelconque utilité, elle y déposa enfin quelques pots de confitures de rhubarbe et de myrtilles, qu'on n'avait pas pu ranger dans les armoires déjà surchargées.

_____

1. Ou «paye».

22

CONSEILS PRATIQUES
AUX AUTOMOBILISTES QUI PARTICIPENT
À DES RALLYES

L'absence de pneus constitue, comme on le sait, un empêchement rédhibitoire au fonctionnement normal d'un véhicule automobile. Cela est d'autant plus vrai dans un rallye. Quelque atypiques et anomaux que puissent sembler de tels incidents, ils n'en sont pas moins plus fréquents qu'on ne le croit généralement, et l'étude des solutions qu'il convient de leur apporter ne doit pas être prise à la légère. Qu'on ne croie pas pour autant qu'il s'agisse là d'un problème extrêmement courant, et qu'on ne conclue pas qu'il faille prendre à ce sujet des précautions surérogatoires. Une saine estimation des choses commande d'observer en tout la juste mesure, ce qui exclut les dispositions superflues (c'est-à-dire, en somme, tout ce qui n'a pas été inclus dans le présent guide, ou, si l'on préfère, tout ce qui en a été exclu). En l'occurrence, il semblerait nettement exagéré de transporter dans le coffre d'une automobile de petit format plus de quatre pneus de secours. Les statistiques démontrent en effet que la récurrence des crevaisons, dans des circonstances normales, n'est généralement pas si élevée que l'on doive changer de pneu plus de quatre fois au cours d'un seul et même rallye.

Que doit-on faire cependant, lorsque survient malgré tout une cinquième crevaison? Il convient, pour résoudre cette difficulté, de recourir à la méthode de raisonnement par exhaustion. S'il y a un garage à proximité, on ne devrait pas hésiter à faire l'acquisition d'un pneu neuf. En revanche, si l'on se trouve au cœur de la jungle brésilienne, on pourra envisager d'entailler des hévéas, qui sont, nul ne l'ignore, des arbres à caoutchouc: avec le latex ainsi obtenu, il sera aisé de confectionner un nouveau pneu. On le voit, avec un peu d'ingéniosité, il est bien rare qu'un automobiliste ne parvienne pas à se dépêtrer des situations les plus embarrassantes, et à obtenir la victoire malgré tout.

23

UNE MISSION PÉRILLEUSE

Les services secrets avaient été contraints de mander en grand-hâte[1], en pleine nuit, le professeur Lacroix, vétérinaire en renom, spécialiste des maladies infectieuses et des questions bactériologiques en général. Tout ébaubi encore de cette convocation étrange et impromptue, vaguement inquiet également, car le plus honnête des hommes conserve toujours au fond de lui-même une crainte instinctive des gendarmes, secrets ou non, il rassemblait précipitamment ses affaires sous l'œil attentif et fort peu affable de deux gorilles au crâne rasé, vêtus d'imperméables en gabardine, portant des lunettes noires et tenant chacun en main un browning chargé.

Le professeur, malgré qu'il en eût[2], fut entraîné sans plus attendre vers une immense limousine aux vitres teintées qui stationnait devant sa porte. Les gorilles s'y engouffrèrent à sa suite, et on le conduisit en trombe à l'autre extrémité de la ville, dans une banlieue miteuse, où était sis le plus secret des bureaux du ministère de l'Intérieur. Le professeur fut amené dans un vaste et moderne laboratoire qui occupait les sous-sols de l'édifice. De nombreux animaux étaient enfermés dans des cages de verre. Le vétérinaire remarqua et identifia immédiatement des lapines lapones[3] et des lapereaux languedociens qui lapaient avidement un bol de lait. Plus loin, un couple d'ornithorynques agonisait.

Un personnage mystérieux, assis à un bureau, et qui tenait un chat sur ses genoux, se tourna enfin vers le professeur, et lui adressa la parole. En termes brefs et succincts, il lui apprit qu'une épidémie inexplicable avait frappé, de-ci, de-là, dans des régions très éloignées l'une de l'autre, plusieurs espèces d'animaux. De toute évidence, un ennemi encore inconnu expérimentait une terrible arme bactériologique. Le professeur comprit à demi-mot ce qu'on attendait de lui. Lui, qui ne s'était pour ainsi dire jamais livré qu'au langueyage des porcs et des bœufs, soignant les kystes de ceux qui étaient infectés par les cysticerques, il allait maintenant devoir faire face à un nouveau défi, dangereux et passionnant.

---

1. Cette expression ne figure plus dans les dictionnaires récents, qui préfèrent «en grande hâte». L'ancienne graphie «grand'hâte» serait aujourd'hui fautive.
2. Bien que «malgré» s'écrive ici en un seul mot, cette expression figée signifie «quelque mauvais gré qu'il en eût».
3. Ou «laponnes».

24

UN PIÈGE

L'espion, que ses nombreuses cicatrices et sa main bote rendaient particulièrement repoussant, fulminait. Les enfants du commandant en chef des services de contre-espionnage, qu'il avait cru suborner par de vaines cajoleries et d'obséquieuses câlineries, ces enfants en somme qu'il avait crus bien plus stupides qu'ils ne l'étaient vraiment, et qu'il avait cru à tort être faciles à tromper, ces enfants venaient de déjouer les plans machiavéliques qu'il avait si laborieusement conçus et élaborés. «Croyez bien, Monsieur, lui disaient-ils avec une naturel parfait, que c'est par mégarde que nous bossuâmes la théière en étain bosselé que vous nous offrîtes si galamment et si généreusement, pour qu'à notre tour nous l'offrissions à nos parents. Dans ces conditions, vous comprenez bien que nous ne pûmes que la jeter.»

L'espion ne se laissa pas enjôler par ces paroles innocentes. Pour lui, l'hypocrisie des enfants était manifeste. Assurément, ils avaient pressenti que son cadeau n'avait été donné que dans un dessein inavouable: ils se seraient méfiés et auraient mis en garde leurs parents. Le père, rompu aux techniques de l'espionnage moderne, aurait vite découvert le minuscule micro qui était dissimulé dans la théière. Il aurait ensuite utilisé ses enfants pour attirer l'espion dans un guet-apens...

Cette intuition était tout à fait juste, mais, hélas! il était trop tard pour réagir: cinq gaillards aux biceps impressionnants surgirent inopinément des taillis et des halliers (car la scène se déroulait dans un cadre agreste, d'un charme indéniablement bucolique) au moment même où l'espion s'apprêtait à faire un mauvais parti aux deux mouflets qui l'avaient dupé. Le scélérat fut conduit illico dans une prison ultra-secrète dont il ne sortit sans doute jamais, car on n'en entendit plus parler.

25

MARCHÉ DE DUPES

La ruelle était obscure. Seules quelques viornes sinistres, dans les arrière-cours des taudis voisins, rompaient la monotonie du décor. Sur le pavé humide et fangeux traînaient pêle-mêle des détritus variés et des immondices sommairement amoncelées. Une bruine glaciale, pénétrant opiniâtrement dans les interstices les mieux dissimulés, détrempait tout. L'atmosphère paraissait alourdie par des miasmes empoisonnés, qui s'immisçaient partout et sécrétaient une invincible et spleenétique mélancolie. Des rats (ou peut-être des viverridés, car on voit de tout dans les grandes villes) se poursuivaient furtivement en poussant ces miaulements agressifs et suraigus qui sont particuliers aux muridés.

Détonnant dans ce cadre miséreux, un homme en smoking fumait paisiblement un havane. L'agent secret — car c'en était un — attendait un certain voyou sans envergure qui devait lui revendre d'importants secrets d'État. La crapule en question ne tarda pas d'ailleurs à se pointer. «Est-ce bien vous? demanda le voyou.

—Qui vous attendiez-vous donc à rencontrer, ironisa l'agent secret, le gonfanonier de la République de Venise?» La gouape ne releva pas, ou ne comprit pas la raillerie. «Où est la came? (C'était en effet le salaire qu'il avait réclamé.)

—Les papiers d'abord, la came ensuite», rétorqua sèchement l'espion. On procéda sans plus attendre à la transaction. Mû par une soudaine suspicion, le voyou ouvrit le paquet qui lui avait été remis, avant que l'espion ne se fût éloigné. «Vous m'avez floué! C'est du sucre en poudre!

—Il eût mieux valu pour vous que vous ne vous en fussiez pas rendu compte tout de suite, car vous eussiez alors eu la vie sauve.» Après qu'il eut dit ces mots, l'agent secret abattit froidement le malheureux chenapan.

26

LE PROGRÈS

«Les villes que nous avons vues naître, et celle qui nous a vus naître, ne remplaceront pas, hélas! toutes celles que nous avons vu démolir»: cet énoncé cryptique, apparemment incohérent, et suffisamment déconcertant pour mystifier, stupéfier et rendre déconfit le plus averti et le plus aguerri des spécialistes du décryptage, depuis plusieurs jours déjà préoccupait les fonctionnaires du service du chiffre du ministère de l'Intérieur. Ce message occulte, qui résistait tenacement aux plus opiniâtres tentatives de déchiffrement, avait été trouvé dans le portefeuille d'un espion étranger récemment trucidé et occis pour le plus grand bien de la patrie — la nôtre, non la sienne, cela s'entend.

Quels que furent, quelque surhumains qu'aient

pu sembler, aux yeux des fonctionnaires, les efforts qu'on déploya, on ne parvint pas — bien que chacun, ardemment, souhaitât qu'on y parvînt — à découvrir le mystérieux principe qui eût permis de faire apparaître la signification cachée de la phrase codée. Le chef du service du chiffre était furieux, le ministre s'impatientait: on ne pouvait, sans danger, surseoir davantage — car on y avait jusqu'ici forcément sursis — à la mise à mort des éventuels complices de l'espion. Surseoirait-on un seul instant de plus, qu'on provoquerait peut-être une catastrophe nationale. Mais le moyen, aussi, que l'on ne sursît pas, et qu'on mît en chasse les sicaires du ministère, si le message secret résistait au décryptage? L'ignorance de l'identité des ennemis à abattre a toujours constitué, en effet — et constitue encore, cela se comprend — un empêchement suffisamment gênant pour que l'on sursoie à leur exécution. Au grand dam des fonctionnaires, on résolut donc de consulter un sagace ordinateur. L'opinion de la machine fut formelle: l'énoncé suspect n'était que de mauvaise poésie et ne recelait aucun sens celé. Aussi le ministère sursit-il indéfiniment à ses projets, et peut-être y sursoit-il encore aujourd'hui.

27

DÉLINQUANCE

L'envoûtant arôme[1] de l'arum à spathe blanche que
tenait en main — dans le dessein évident de l'offrir
à quelque lorette — le godelureau plutôt loufoque
qui venait de sortir, en compagnie d'une tourbe de
dandys et de gigolos franchement rigolos et rigo-
lards, du casino où il avait sûrement, à en juger par
sa mine béate et son air infatué, gagné plusieurs
centaines de louis, au baccara, au whist, ou au bin-
go, et qui suçait un berlingot que lui avait offert une
comtesse slovène mariée à un industriel lorrain,
c'est-à-dire natif de Lorraine — cet arôme, donc,
avait attiré l'attention d'un apache à l'odorat puissant, qui était passé maître dans l'art difficile du vol
à la tire.

L'occasion semblait inespérée: une fois éloignée la troupe bruyante et tapageuse, le jeune fat, insoucieux des éventuels dangers, s'était retrouvé absolument seul dans la cité ténébreuse. Il se dirigeait sans aucune appréhension vers les quartiers les plus suspects et les plus reculés (ceux où se réfugient les bas-fonds de l'humanité), cherchant désespérément la susdite lorette, qui demeurait mystérieusement introuvable. Croyant venu le moment de passer à l'action, le loulou louche passa alors une sorte de loup, sortit de l'ombre, et assena[2] au sybarite un formidable coup de casse-tête. Malheureusement pour le spadassin, il se trouva que son adversaire avait la tête dure, et que, de surcroît, il était armé, Dieu sait par quel hasard, d'un redoutable coutelas. Un fameux baroud s'ensuivit. Le muscadin défendait chèrement sa vie, faisait un raffut de tous les diables, poussait les hauts cris, ameutait tout le quartier. Mais le combat était trop inégal, et l'apache vainquit enfin, envoyant *ad patres* le malheureux fêtard. La fleur monocotylédone roula dans le ruisseau, et nul ne songea à la ramasser...

---

1. Ou «arome».
2. On peut tolérer «asséna».

28

UN ÉPICIER GRIPPE-SOU

Léopold Aristide, commerçant retraité, avait fait fortune en vendant à prix d'or, pendant plus de quarante et un ans (certains disent quarante-deux, mais on ne se souvient plus vraiment), des épices peu connues du grand public, mais très prisées par la clientèle snob: le safran, la sauge, le bétel, l'amome (qui est encore appelé la cardamome), le cumin (c'est là le nom qu'on donne aux graines de carvi), le cubèbe, le girofle, et une quantité d'autres produits aromatiques.

On murmurait, dans la ville, que la richesse de cet Aristide était extrême, bien que nul ne pût avec exactitude citer le moindre chiffre ou donner la moindre preuve. Ce qui ne faisait aucun doute, cependant, c'était l'avarice du bonhomme, qui affectait les allures de la plus grande pauvreté, et se plaignait toujours de la cherté de la vie. On ne le voyait jamais autrement vêtu que d'une vieille veste décatie, d'un pantalon élimé et d'une chemise râpée. Son chapeau d'avant-guerre (celle de 1914, cela s'entend) était depuis longtemps troué. On ne lui connaissait pas de famille, sinon un vague neveu, brillant jeune homme qui avait dû renoncer à préparer Normale pour travailler en usine, faute du soutien financier de son oncle.

Le secret de ce terrible vieillard, c'était un vieux coffre-fort, tapi dans le plus obscur recoin de la cave de sa demeure. Là était dissimulé son trésor: des billets, des titres, et de l'or, beaucoup d'or. Cet argent, le vieillard n'y touchait jamais: le chèque de la Sécurité sociale suffisait à tous ses besoins. De temps en temps, il ouvrait le coffre pour en contempler le contenu. Un jour cependant, le pêne se coinça dans la gâche, et le coffre ne s'ouvrit plus. Aristide, d'abord contrarié, finit par s'en réjouir: il ne pouvait plus craindre désormais que son or ne fût pas en sûreté.

29

UNE INVENTION TROP EFFICACE

Tout aussi inévitablement et corrélativement que le noème résulte de l'acte noétique — autrement dit, de la noèse — ou que le creusement d'une circonvallation autour d'une place forte assiégée entraîne à plus ou moins brève échéance sa reddition, de même les progrès récents de la malherbologie[1] ne devraient avoir, en principe, que des effets intrinsèquement bénéfiques pour l'agriculture. Certains savants, qui pèchent peut-être par optimisme ou par excès de naïveté, attendent même de cette science, non seulement une amélioration significative du niveau de vie de l'humanité, mais encore la fin de la majeure partie des problèmes aigus ou subaigus de malnutrition des pays sous-développés. Cela semble tout de même un peu exagéré, comme on le verra.

Quoi qu'il en soit, c'est pour cette raison que le professeur Augustin avait décidé de consacrer sa vie aux mauvaises herbes. Il porta principalement son attention sur les végétaux parasitaires qui nuisent aux arbres fruitiers, notamment les pruniers (car il avait un faible pour les perdrigons et tolérait mal que d'insolents parasites s'attaquassent à eux et en compromissent la culture). Après de nombreux essais, il en vint à mettre au point un puissant parasiticide. C'était un mélange dans lequel étaient mêlés des produits variés, entre autres de l'arsenic et plusieurs dérivés arsénieux. Il ne restait plus, une fois établie en laboratoire l'efficacité de l'invention, qu'à en étudier le rendement sur le terrain. Le professeur avait convaincu un paysan, propriétaire d'une vaste prunelaie, de se prêter à son expérience. Un informaticien fut engagé pour traiter les données statistiques. Hélas, le parasiticide se révéla si efficace, qu'il extermina les pruniers en même temps que les parasites, et que plus rien ne poussa jamais dans le champ malencontreusement contaminé.

---

1. «Malherbologie»: n. f. Étude des mauvaises herbes et des moyens de les combattre. Ce mot ne figure pas dans tous les dictionnaires.

30

LA GOURMANDE

La mère de famille faisait face à un dilemme atroce. Elle savait pertinemment qu'elle n'avait déjà que trop engraissé, et qu'il lui fallait impérativement maigrir, si elle ne voulait pas s'écarter par trop, d'un point de vue morphologique, des canons esthétiques universellement admis. Mais comment résister aux tentations de la vitrine de la pâtisserie locale? S'il est un moyen, pour une femme qui suit un régime diététique, de contempler un pâtissier pâtissant sur sa pâtissoire sans que sa ligne, tôt ou tard, en pâtisse, notre ménagère l'ignorait absolument. Aussi céda-t-elle enfin: elle entra dans la boutique (d'aucuns diraient dans l'échoppe, car c'était un tout petit établissement, bien qu'il jouît d'une grande vogue, fût-ce auprès des gourmets les plus gourmés).

Surprise par la variété et la magnificence des gâteaux exposés, elle faillit tomber en pâmoison.

«Alors, resterez-vous plantée ici toute la journée? Décidez-vous et achetez quelque chose!» s'exclama le pâtissier, qui était un véritable pignouf. La dame, dont l'appétit, après le si long jeûne qu'elle s'était imposé, confinait presque à la gloutonnerie, ne songea pas à s'offusquer de la goujaterie du marchand. Elle acheta immédiatement un admirable pithiviers d'une forme quasi rhomboédrique (Dieu sait par quel miracle d'ingéniosité le pâtissier était parvenu à le mouler ainsi). Sitôt rentrée chez elle, la gourmande entreprit de le goûter. Les délices qu'elle connut alors furent véritablement ineffables, presque exagérées. La déconvenue qu'elle éprouva en se pesant, le lendemain matin, n'en fut que plus cuisante, et acheva de la dégriser. Hélas! la faute irrémissible était commise, et il était trop tard pour la regretter.

31

DES VACANCES GÂCHÉES

Le citadin pansu et mafflu avait résolu de passer ses vacances au bord de la mer. Il croyait en effet que les effluves toniques et embaumés de l'air marin lui rendraient la forme et la santé de ses vingt ans. Muni d'un haveneau, il entendait s'adonner aux plaisirs et aux joies de la pêche à la crevette, tandis que son épouse, moins vaillante et moins encline aux exercices de ce genre, s'étendrait sur la plage sablonneuse, abandonnant imprudemment son épiderme adipeux aux pernicieuses attaques des rayons ultraviolets[1], dans l'espoir de lui donner ce léger hâle qui passe, paradoxalement, pour un signe de santé, au lieu qu'on y devrait voir l'un des symptômes avant-coureurs du cancer de la peau. Le couple, bien entendu, serait accompagné de sa ribambelle de rejetons au teint hâve, que la perspective de ces vacances avait beaucoup réjouis, et qui se promettaient d'extravagantes ribouldingues, de bouleversantes aventures et d'innombrables espiègleries.

Hélas! tous ces beaux plans furent impitoyablement déjoués par les aléas de la température et du climat. Pendant tout le mois de juillet et tout le mois d'août, des pluies torrentielles tombèrent sans discontinuer, empêchant les villégiateurs de quitter l'abri de leur hôtel. Qui plus est, un froid glacial venu de la mer s'insinuait partout, en raison de la diathermanéité, ou tout simplement de l'absence d'étanchéité des murs et des cloisons. C'est que l'hôtel, conçu pour un climat plus doux et plus clément, n'avait pas été isolé. Le déluge semblait inexhaustible: l'eau s'infiltrait par les interstices du toit, inondait les mansardes, répandait ailleurs une terrible humidité, suscitait des épidémies de rhumes et de rhumatismes. Un brouillard tenace et impénétrable obscurcissait le paysage, dissimulait le panorama, et transformait la transparence des larges baies vitrées en une diaphanéité proche de l'opacité la plus complète. La famille, découragée, regagna au plus vite la cité, se promettant bien de ne plus jamais la quitter.

---

1. Ou «ultra-violets».

32

UNE IMPRUDENCE

Le canal, qui fut, il y a bien longtemps, le théâtre de splendides et fastueuses naumachies, était aujourd'hui à l'abandon. Les hautes herbes, les joncs, les ajoncs, les butomes, les scirpes l'envahissaient, lui donnant un air de marécage sinistre. Des nénuphars flottaient çà et là; la surface de l'eau était infestée de naucores, et exhalait une odeur fétide et puissante, quoique indéfinissable. De joyeux promeneurs, pourtant, n'avaient pas hésité à faire une excursion dans cet endroit désert. Conduits par d'habiles nautoniers, ils voguaient gaiement[1] et allégrement, en vociférant à tue-tête des chansons passablement égrillardes. De toute évidence, ces gens-là n'étaient ni des ascètes, ni des anachorètes, ni des cénobites, et encore moins des stylites, mais bien plutôt des noceurs, des viveurs, des jouisseurs et des ribauds.

Ces jouvenceaux surexcités, dont la témérité, sous l'influence de l'alcool et peut-être même de certaines autres substances hallucinogènes, jouxtait la folie pure, avaient décidé, après s'être livrés à une indescriptible et inénarrable ribote, de faire revivre les fameuses joutes aquatiques du passé. Ainsi donc, les jeunes gens, répartis en deux groupes, chacun disposant d'une barque et d'une longue perche, s'apprêtaient à livrer un simulacre de combat. Il s'agissait tout simplement de faire chavirer l'embarcation du camp adverse. Pendant quelques minutes, on combattit assez mollement, par fatigue plutôt que par manque d'enthousiasme. L'une des équipes toutefois n'en finit pas moins par vaincre l'autre. Ce fut alors le drame: des quatorze personnes qui tombèrent à l'eau, six ne reparurent jamais. Quant aux autres, les bacilles, les colibacilles et les streptocoques qui, en raison de la pollution, infectaient le canal, leur infligèrent de sévères colibacilloses et de douloureuses streptococcies, dont certains ne se remirent jamais complètement, malgré le zèle des médecins.

---

1. Ou «gaîment».

33

LES PROBLÈMES D'UN INGÉNIEUR

L'ingénieur en chef était perplexe. Depuis qu'il s'était embarqué sur le nouveau destroyer — ou, si l'on préfère, sur le contre-torpilleur — que l'on venait tout juste de mettre à flot, les problèmes et les incidents ne cessaient de se multiplier. Assis devant la console principale de la salle de contrôle, l'œil fixé sur les ampèremètres, les voltmètres et les ohmmètres, il s'interrogeait fébrilement sur d'inexplicables variations dans la résistance des circuits électriques. Les résisteurs ohmiques étaient-ils défectueux? Comment expliquer ces chutes soudaines de plusieurs ohms, alors que dans des circonstances normales, on n'aurait pas dû observer des oscillations de plus d'un ou deux microhms? Cette situation, bien qu'elle ne représentât point un danger imminent, ne laissait pas d'être curieuse, et même fâcheuse.

Cela était d'autant plus vrai que ce mystère venait s'ajouter à une longue liste de tuiles des plus diverses. Ainsi, le jour précédent, un turbo-alternateur[1] et un turbocompresseur s'étaient détraqués, et avaient nécessité de longues et difficiles réparations. L'ingénieur avait dû mettre lui-même les mains à la pâte, et il se les était tachées de cambouis, ce qui l'avait énormément contrarié. Heureusement, il avait été consolé, le soir même, par une charmante attention du coq (c'est là le nom qu'on donne, dans la marine, à l'officier qui s'acquitte de la fonction de maître queux), qui lui avait préparé son mets favori, du filet de turbot garni d'échalotes et de carottes. Il n'en avait pas été de même, cependant, la semaine précédente, alors que, l'un des solénoïdes s'étant rompu, l'électro-aimant d'une grue avait subitement cessé de fonctionner. Il s'en fût fallu de peu que l'ingénieur ne reçût alors sur la tête une poutrelle métallique pesant près d'une tonne et demie. Hélas, les malheurs ne s'arrêtèrent par là, car la poutrelle, en tombant, transperça le pont, abîma la coque et ouvrit une voie d'eau, ce qui causa bien des soucis à tout le monde.

---

1. Les dictionnaires Larousse les plus récents écrivent plutôt: «turboalternateur». Cette graphie illogique, contraire aux règles habituelles de formation des mots composés, me semble peu recommandable.

34

UN ACCUEIL REFROIDISSANT

Le flux des heimatlos était considérable. Fuyant la sauvage et barbare répression qui sévissait dans leur patrie, contraints, par une cruelle et inhumaine coercition, d'abandonner leur famille, leurs amis, leur terre natale, ils se pressaient en foule et en masse aux portes du camp de réfugiés, qui, malgré son aspect sinistre, ses barbelés, ses miradors, ses gardiens en uniforme armés de pistolets-mitrailleurs, leur semblait être un authentique havre de paix, de bien-être et de confort. Le commandant du camp, un vieil officier au caractère roide, avait recommandé, plutôt par conformisme ou par traditionalisme que par dureté de cœur, qu'on les traitât sans ménagement[1]. Les apatrides, toutefois, qui avaient connu des tribulations autrement pénibles, s'accommodaient sans embarras de cette situation et de ces traitements qui leur étaient infligés. Nul n'eût songé à se plaindre, et plus d'un aurait[2] même souhaité remercier le commandant de cet accueil qui, à leurs yeux, passait pour chaleureux: pas un qui s'indignât d'être sommairement aspergé de dichloro-diphényltrichloréthane (cet insecticide mieux connu sous son abréviation de D.D.T.), pas un qui s'inquiétât des piqûres d'antibiotiques ou des vaccins que des infirmiers inexpérimentés leur administraient sans leur poser de questions.

Attendri par cette humilité, par cette patience et cette docilité, un jeune sergent prit sur lui de mettre fin à ces pratiques d'une excessive rudesse, et ordonna qu'on se conduisît plus humainement avec les nouveaux venus. Hélas! après qu'il eut donné cet ordre, celui-ci fut contremandé sur-le-champ par le commandant, qui n'aimait pas l'insubordination et qui n'eût jamais toléré, quelque grands que fussent ses torts, qu'on lui désobéît ou qu'on le contredît de quelque façon que ce fût. Le sergent fut puni pour son beau geste, afin que nul ne s'avisât de recommencer, et la monotone procession des arrivants se poursuivit sans qu'on la troublât.

---

1. L'Académie et le *Robert* donnent cette expression au singulier.
2. «Plus d'un» exige le singulier (sauf s'il est répété ou si l'on exprime la réciprocité).

35

UN SPORTIF

L'homme d'affaires, déjà inquiet de se voir vieillir, bien qu'il n'eût que trente-sept ans et demi, avait décidé de se remettre en forme coûte que coûte. Le plus délicat avait été de se procurer une tenue sportive qui fût conforme à son rang et qui rendît témoignage de son bon goût. Sur le conseil d'une diligente couturière, il avait choisi un magnifique survêtement rouge vif. Le revêtant souvent, il se contemplait avec fatuité dans une gigantesque psyché, plus rutilant qu'une armée de rouges-gorges, plus fier qu'un Viking à la proue de son drakkar. Toutefois, comme le lui firent désobligeamment remarquer quelques collègues, l'habit à lui seul ne rendait pas la santé, et il fallait aussi faire un peu de sport, ne fût-ce que pour justifier l'acquisition d'un coûteux costume.

L'homme d'affaires hésita beaucoup. Il était peu d'activités qui lui plussent ou qui lui convinssent. Le squash lui semblait attrayant, pas trop difficile, mais c'était un jeu bien moderne, un peu trop vulgaire, tout juste bon pour les nouveaux riches. La course à pied était beaucoup trop fatigante. Le cyclisme, de fond ou de demi-fond, manquait de dignité. Seul le tennis paraissait à peu près convenable. Aussi notre homme s'inscrivit-il à un club où il put suivre en toute quiétude des leçons particulières. Son professeur le jugea bientôt apte, malgré son extrême balourdise, à participer à des tournois, et il lui assigna comme partenaire un vieil industriel cypriote tout aussi pataud que lui. Le couple ne pouvait faire, et ne fit pas bon ménage: sans cesse l'un rejetait sur l'autre la responsabilité des échecs qui s'accumulaient. Un beau jour, l'homme d'affaires reçut de son partenaire un malencontreux et douloureux coup de pied dans le cou-de-pied. Excédé par cet incident, il décida de ne plus jamais mettre les pieds dans son club, et abandonna le tennis pour la marche, qui est un sport bien moins dangereux.

36

UNE DÉCOUVERTE SURPRENANTE

Le sous-secrétaire attendait depuis un quart d'heure déjà d'être introduit dans le bureau du chef de cabinet. L'huissier goitreux, qui semblait l'avoir oublié, s'entretenait bruyamment avec la réceptionniste, dégoisant Dieu sait quelles aberrations, quelles inepties, quelles balivernes, quelles billevesées, quelles calembredaines, quelles fadaises, quelles fariboles. La réceptionniste, barbifiée au plus haut point, n'écoutait que très négligemment, préférant se ronger dégoûtamment les ongles, et ne s'interrompant qu'occasionnellement pour répondre par des monosyllabes indéfinis. Ces deux mufles à vrai dire ne détonnaient pas dans le décor de l'antichambre, car celle-ci était très délabrée: la peinture s'écaillait, les rideaux étaient dépareillés, le tapis était taché.

La seule décoration était un camaïeu d'assez mauvais goût, dont le cadre en bakélite était poussiéreux.

Malgré sa bonne volonté, malgré sa patience légendaire (au moins dans les bureaux et les ministères), le sous-secrétaire commençait à s'impatienter. Tout autre que lui se fût déjà lassé, et eût quitté les lieux en maugréant. Cela ne lui était toutefois pas permis, car les nouvelles et les documents qu'il apportait au chef de cabinet du ministre de la Science étaient d'une importance capitale. L'un des savants travaillant dans les laboratoires secrets de l'État venait en effet de trouver un moyen particulièrement aisé et peu coûteux de réaliser une réaction de spallation sur les noyaux de plusieurs atomes, entre autres le bore, le berkélium, l'ytterbium, le thorium, l'américium, le thallium, le tungstène, le baryum, le césium[1], le dysprosium, l'yttrium, le béryllium, le molybdène, le krypton et le bismuth. Avec le temps, on espérait encore appliquer ce procédé au rhodium et au praséodyme. Peut-être tenait-on enfin la solution de tous les problèmes énergétiques de l'humanité.

---

1. Ou «cæsium».

37

UN VIEIL ORIGINAL

Plus surprenant à lui seul que le passage, en plein hiver, d'une volée de lamellirostres, ou que la guérison subite d'un bègue atteint de lallation, plus romantique que les œuvres de tous les poètes lakistes, plus pittoresque qu'une lamaserie perdue dans le massif de l'Himalaya[1], le vieux lord Hartford, à l'âge très avancé de quatre-vingt-neuf ans, ne cessait de scandaliser ses pairs. Les frasques de ce vieillard excentrique continuaient encore à défrayer la chronique, tout comme elles l'avaient fait pendant les trois quarts de siècle précédents. Son plus récent exploit avait été de racheter et de faire entièrement restaurer un magnifique trois-mâts qui avait appartenu à son arrière-grand-père, lequel avait fait fortune, en son temps, grâce au commerce des Indes.

On comprendra que les héritiers du vieux lord n'aient pas vu d'un bon œil cette extravagante dépense, qui faisait fondre dangereusement le magot patrimonial.

Lord Hartford, hélas, n'en était pas à ses premières armes dans la voie de la bizarrerie et de la singularité, aussi y avait-il peu d'espoir de le voir s'amender si tardivement. On se souvenait notamment qu'il avait offert autrefois à l'une de ses maîtresses, pour son anniversaire, une patrologie grecque du Moyen Âge. On savait également de source sûre qu'il avait un jour acheté des alezans de race pure, qu'il avait ensuite relâchés dans la nature, dans un geste d'une bonté assez peu compréhensible (au moins aux yeux de l'aristocratie britannique, dont l'engouement pour les chevaux de course est bien connu). Bref, ce vieux noble, qui, à son âge encore, se vêtait toujours d'un costume blanc et qui portait toujours une fleur de paulownia à la boutonnière, semblait destiné à mystifier et à désespérer tous ceux qui avaient la malchance de le rencontrer.

---

1. Ou «Himâlaya», ou «Himālaya».

38

D'AUDACIEUX CAMBRIOLEURS

Le train fonçait à vive allure dans la forêt obscure, réveillant au passage quelques wapitis étonnés. Comme il était tard, déjà, la plupart des passagers des wagons-lits s'apprêtaient à tomber dans les bras de Morphée. Les autres, tant bien que mal, tâchaient de s'installer le moins inconfortablement possible sur leur banquette. La walkyrie[1] plantureuse qui, pendant toute la soirée, avait servi aux hommes d'affaires et aux voyageurs de commerce des whiskies, de l'eau-de-vie, du gin, du genièvre, du schiedam, du schnaps, de l'arack[2], du kirsch, de la quetsche, du rhum, de la vodka, du kummel, du brou de noix, du tafia, du marc, de la mirabelle, de l'armagnac, du cognac, du brandevin, du brandy, bref, une foule de liqueurs et de boissons alcoolisées, se préparait à fermer le wagon-bar pour la nuit. Peu à peu, un silence sépulcral s'appesantit sur l'ensemble du train et l'on n'entendit plus que le grincement des roues sur les rails.

À ce moment précis, quatre jeunes voyageurs, très respectables en apparence, enfilèrent des masques à gaz. L'un d'entre eux saisit alors un atomiseur plutôt suspect, dont il vaporisa tout le contenu dans l'un des orifices du système d'aération. Il s'agissait là d'un puissant soporifique. Les plus insomniaques des passagers tombèrent alors dans une profonde catalepsie, ou plus exactement dans une léthargie accompagnée de paralysie. Les jeunes cambrioleurs, sans craindre le moindre incident, sans craindre d'être dérangés, purent dévaliser en toute tranquillité les riches voyageurs. Il fut ensuite aisé de profiter d'une courte halte du convoi dans une gare rurale isolée pour disparaître dans la nature, au moyen de quatre mobylettes qu'un cinquième complice leur avait apportées.

---

1. Ou «valkyrie».
2. Ou «arac».

39

UNE RÉFORME PÉDAGOGIQUE

La différentiation d'une fonction est une opération qui consiste à en obtenir la différentielle. Il convient de faire une certaine différenciation avec la dérivation, qui consiste quant à elle à calculer la dérivée. En effet, ce n'est que dans le cas des fonctions explicites que ces opérations ne se différencient guère. Quoi qu'il en soit, toutes ces différences demeurent assez subtiles, et il faut convenir que les examinateurs qui forment le jury de certaines épreuves (comme celles du baccalauréat) font preuve d'une excessive sévérité, d'un superstitieux rigorisme, et même d'une vicieuse méchanceté, lorsqu'ils recalent un candidat peu consciencieux qui n'a pas tenu compte de ces minutieuses distinctions, que seuls quelques vieux cuistres sentencieux et prétentieux continuent à considérer comme précieuses et judicieuses. C'est un secret de Polichinelle, en effet, que beaucoup de jeunes professeurs audacieux et facétieux prennent un plaisir malicieux à confondre d'une façon irrévérencieuse ces notions et ces questions sujettes à des discussions et des contestations litigieuses et même quasi contentieuses. Toute personne un peu sensée, même si elle n'est pas versée dans les sciences mathématiques, pourra, avec un minimum de réflexion ou d'attention, et sans aucune tension d'esprit, reconnaître le bien-fondé de cette tolérance, qui ne constitue nullement un symptôme de laisser-aller, puisqu'elle ne porte que sur un aspect superficiel du calcul différentiel, et qu'elle n'en touche nullement les parties substantielles et essentielles. Nous espérons donc qu'après avoir lu cet exposé circonstancié (lequel, cependant, n'avait rien à voir avec l'étude grammaticale des compléments circonstanciels), notre lecteur ne doutera plus du caractère providentiel d'une réforme pédagogique que quelques attardés factieux et tendancieux avaient qualifiée de démentielle.

40

LES RESSOURCES CACHÉES DU FRÊNE

La mannite, qu'on appelle encore mannitol, est une substance organique que l'on trouve dans la manne du frêne, c'est-à-dire dans l'exsudation sucrée propre à cet arbre. Une dizaine d'autres végétaux, parmi lesquels on compte le mélèze et l'eucalyptus, produisent encore des mannes, et celles-ci, comme chacun sait, peuvent être obtenues par incision de l'écorce de l'arbre, à moins que leur écoulement ne résulte de la piqûre d'un insecte mannipare, comme le puceron. Les mannes sont parfois comestibles: il en est ainsi, par exemple, de celle du tamaris (ou tamarix) à manne, arbrisseau à petites feuilles et à petites fleurs roses, que l'on ne doit pas confondre avec le tamarinier ou tamarin (qui est un grand arbre), encore que l'on donne aussi le nom de tamarin au tamaris. Même de nos jours, les nomades arabes se nourrissent souvent de la manne de cet arbuste (dans laquelle il faut peut-être voir, selon certains, la mystérieuse manne dont se sont sustentés les Hébreux). Certaines autres mannes, au contraire, sont réputées pour leurs propriétés laxatives ou pectorales, et peuvent donc être utilisées pour soigner les troubles du système digestif ou les affections bronchiques.

Toutes les mannes, cela va de soi, ne présentent pas le même intérêt pour la pharmacie et la chimie. Aussi, laissant de côté la manne du mélèze et celle de l'eucalyptus (qui renferment, pourtant, l'une du mélézitose, et l'autre du mélitose), nous nous bornerons à traiter ici le cas de la mannite. Ce polyalcool (plus précisément, cet hexol ou cet hexose), une fois oxydé par l'acide nitrique, donne du mannose, de l'acide saccharique et de l'acide mannitique. Si l'on utilise au contraire un mélange d'acides nitrique et sulfurique, on obtient un ester appelé nitromannite, qui constitue un explosif très efficace. Comme on le voit, une frênaie est un véritable arsenal en puissance.

41

UN SAVANT FARFELU

Le professeur Lafleur, spécialiste de la pomologie (c'est-à-dire de la science qui a pour objet l'étude des fruits comestibles), possédait, tant pour son usage et son plaisir personnel[1] que par commodité du point de vue de ses travaux de recherche, de vastes terres plantées d'arbres fruitiers, et notamment une magnifique pommeraie. Celle-ci cependant servait beaucoup plus à approvisionner sa table que son laboratoire, et ne jouait pour ainsi dire aucun rôle scientifique. Le grand rêve du professeur, en effet, le but qu'il se proposait et auquel il accordait tous ses soins, toute sa sollicitude, c'était plutôt d'acclimater en pays tempéré des espèces tropicales et exotiques. Les difficultés étaient immenses. S'il était aisé de faire pousser, dans une serre humide et chaude, des pomélos, des actinidias (bien connus par les fruits qu'on en obtient, les kiwis), ou des bananiers, une fois transplantées à l'extérieur, ces plantes dépérissaient invariablement, au grand désespoir du professeur. Certes, les engrais, les vitamines, les greffes sophistiquées de scions tropicaux sur des entes indigènes, parfaitement adaptées au climat tempéré, pouvaient, pendant un certain temps, reculer l'inévitable et inéluctable mort des plants exotiques. Jamais cependant l'un d'entre eux n'avait pu survivre à l'air libre pendant plus d'un été, et aucun n'avait résisté à la saison froide.

Tous les collègues du professeur, d'ailleurs, regardaient ses projets comme une véritable folie, comme une lubie symptomatique d'une précoce sénilité. Un savant hongrois, que l'on tenait pour la plus grande sommité mondiale en matière de pomologie, avait même osé dire, dans une allocution restée célèbre, qu'il ne donnerait pas un fillér des travaux du professeur Lafleur. Ce dernier ne se souciait guère de tous ces qu'en-dira-t-on, car la gloire lui importait moins que le bonheur de vivre au milieu de ses arbres.

---

1. Ou «personnels» au pluriel.

42

UNE HUMILIATION

Après que le gouverneur militaire eut ordonné que des couvre-feux fussent observés dans toutes les villes de la région, chacun prit l'habitude de rentrer chez soi alors que huit heures n'étaient pas encore sonnées. Ce contretemps, ou plutôt, cette contrainte supplémentaire ne suscita guère d'impatience dans la population, justement parce que celle-ci avait été comme endurcie par tous les maux autrement rudes qui l'affligeaient de partout. Ainsi, le rationnement était si sévère et si strict, que l'ordinaire des plus opulents bourgeois ne différait que bien peu de celui des crève-la-faim. La femme du célèbre banquier Larose, par exemple, avait vainement essayé d'échanger, sur le marché noir, sa collection autrefois prestigieuse et renommée de coupe-papier damasquinés contre quelques tranches de bœuf ou de lard, qui lui eussent fait momentanément oublier les rutabagas jaunâtres dont elle s'alimentait presque exclusivement — bien contre son gré — depuis de longs mois. Elle n'avait pas hésité, pour tenter cette transaction, à s'aventurer dans les coupe-gorge les plus dangereux de la ville, ceux que fréquentaient les plus audacieux coupe-jarrets. Toutefois, tous les usuriers, tous les prêteurs sur gages, tous les épiciers véreux qu'elle rencontra lui avaient ri au nez. Comme l'un d'entre eux le lui fit remarquer, en ces temps de crise, un coupe-légumes était plus utile que tous les coupe-papier du monde.

Au demeurant, aux yeux de l'historien qui, a posteriori, peut se permettre de rationaliser froidement les faits qui, sur le coup, semblent mystérieux, confus, inexplicables, cet incident apparaîtra parfaitement normal. En effet, lors de certains bouleversements historiques et sociaux, les valeurs les plus sûres, les conventions les mieux établies, et jusqu'à l'argent lui-même, tout perd sa signification. Ainsi, le rapport des forces s'inversant, les classes sociales se confondant, les riches en viennent tout naturellement à perdre les privilèges et les coupe-file que l'ordre social leur conférait en temps de paix.

43

UNE INTRUSION CHOQUANTE

Le baronnet, qui venait de s'éveiller, s'apprêtait à consulter son thermomètre, son baromètre anéroïde et son baromètre à siphon (car deux précautions valent mieux qu'une, et, de toute façon, quand il s'agit de météorologie, on n'est jamais assez prudent), lorsque son attention fut soudainement attirée par un incroyable baroufle qui semblait provenir de la cour intérieure de son hôtel. La chose, à cette heure si matutinale, était tellement étonnante, tellement ahurissante, que le baronnet, refusant de croire au témoignage de ses sens, préféra penser, ce qui était rare, chez cet homme noble et orgueilleux, qu'il était atteint d'hébéphrénie, d'hystérie, de paranoïa, ou de schizoïdie, bref, de l'une ou l'autre de ces maladies relevant de la psychiatrie, dont il connaissait les noms sans trop savoir au juste en quoi elles consistaient, mais dont il supposait qu'elles pouvaient se manifester par des hallucinations auditives.

Le seul moyen de tirer l'énigme au clair était d'ouvrir la fenêtre, qui, à cause du frimas, était recouverte de givre, ce qui la rendait translucide. Le baronnet hésita un peu, car il craignait que le froid ne lui fît attraper une influenza, mais la curiosité fut néanmoins la plus forte. Quelle ne fut pas alors sa surprise de découvrir, entrant paisiblement par la porte cochère, un régiment entier de chevau-légers, conduits par un colonel en grand uniforme! Scandalisé au plus au point, le baronnet ordonna à un valet de pied d'aller s'informer aussi prestement que possible des intentions des intrus (le maître d'hôtel en effet, ou, si l'on veut, le majordome, à qui cette tâche aurait dû revenir, n'avait pas encore revêtu sa livrée, ce qui était excusable à cette heure, et il ne pouvait donc s'acquitter lui-même de ce devoir). Quoi qu'il en soit, le colonel du régiment annonça que l'hôtel du baronnet avait été réquisitionné par l'armée pour servir de quartier général aux troupes. Le baronnet en fut si outré que, du coup, il mourut d'une syncope.

44

UNE DAME DISTRAITE

Le jardin avait été subitement envahi par une exhalaison méphitique — du moins, c'était là l'opinion des invités qui y étaient rassemblés pour une réunion mondaine des plus chic[1]. C'est qu'en effet la vieille dame qui venait d'y entrer s'était, par une erreur des plus surprenantes, quoique peut-être pardonnable, vu l'extrême vieillesse de la fautive, parfumée avec de la crème mentholée plutôt qu'avec un parfum ordinaire, et cela bien qu'elle ne fût pas enrhumée ni ne souffrît de bronchorrhée ou de broncho-pneumonie (auquel cas elle se fût bien gardée d'assister à une réception en plein air). Après qu'on eut ainsi compris la cause de l'incident, on cessa immédiatement d'en parler, tant les réflexes de politesse sont puissants chez les gens bien nés, et on parut même n'y rien trouver de cocasse ou de loufoque. Seule une ancienne cocotte, qui, maintenant mariée à un riche banquier, cherchait à dissimuler son ténébreux passé en affectant une morgue et une insolence, qui, bien qu'elle n'en sût rien, et qu'elle crût même le contraire, ne la déclassaient que davantage, se hasarda à louer, avec une ironie sans doute excessive et exagérée, le parfum, si l'on peut l'appeler ainsi, de la vieille dame. Les autres invités, tout en partageant au fond d'eux-mêmes les sentiments de la rieuse, feignirent hypocritement de s'indigner de son sans-gêne et la traitèrent de sans-cœur. La vieille dame ne s'aperçut toutefois de rien, et elle se dirigea paisiblement, souriant à chacun, vers le buffet qui avait été dressé dans un kiosque. En effet, si son grand âge l'avait rendue distraite, il ne lui avait pas enlevé son appétit et ne l'avait pas guérie de sa gourmandise. Ainsi s'empiffra-t-elle de hâtelles, de hâtiveaux et de hâtereaux, tout en buvant un petit rosé qu'on lui avait servi dans une timbale en argent.

---

1. «Chic» est un adjectif invariable.

45

LES MÉFAITS DU TABAC

Les pêcheurs, voyant revenir le temps de la haren-
gaison, avaient sorti les harengueux, les lignes, les
câbles, les filets, et se préparaient à passer quelques
semaines en haute mer. Une inhabituelle agitation
régnait dans le petit port, que n'avaient pourtant pas
encore envahi les villégiateurs de tout acabit. Paisiblement assis sur le môle, quelques vieillards, trop
âgés maintenant pour participer aux expéditions de
pêche, regardaient, souriant d'un air amusé, leurs
enfants, leurs petits-enfants, leurs neveux, qui s'acti-
vaient diligemment et précipitamment. Parfois, l'un
des anciens tirait de sa poche une pipe — ou plutôt
un brûle-gueule — en racine de bruyère, et il la
bourrait d'un tabac blond très parfumé. D'autres,
fidèles à une antique tradition, préféraient mâcher

une chique. La fumée, s'élevant en volutes bleutées au-dessus du petit groupe, formait une sorte de nuage évanescent qui se mêlait pour quelques instants au vol capricieux des mouettes et des goélands, non sans les faire suffoquer un peu, car ces volatiles graciles ont une aversion prononcée pour la nicotine (ce qui est tout à leur honneur, et explique pourquoi le cancer du poumon est si peu répandu dans leur espèce). La chose fut d'ailleurs remarquée par un jeune ornithologue, au demeurant assez original (car il avait passé tout l'hiver au village, poursuivant pendant de longs après-midi, havresac au dos et jumelles en main, un invisible harfang, à l'existence duquel il était seul à croire, et que de toute façon il avait fort peu de chances de rencontrer en plein jour), et qui se scandalisa qu'on agressât de pauvres oiseaux en les enfumant. Les vieillards firent à peine attention aux récriminations du jeune homme, en qui on avait vite reconnu un citadin un peu fou.

46

UN BAR QUI LAISSE À DÉSIRER

Les joueurs de tennis ou — si l'on ne craint pas d'employer l'un de ces pseudo-anglicismes forgés par les milieux snob[1], qui semblent, du point de vue linguistique, avoir de véritables vertus tératogènes — les *tennismen*, épuisés par une partie âprement disputée, avaient rangé les balles et serré les raquettes dans les presse-raquette. Se dirigeant ensuite vers le bar, ils avaient commandé, non des apéritifs, car ils étaient soucieux de leur santé, mais plutôt des jus de fruits[2]. Le garçon se mit alors immédiatement à la recherche d'un presse-fruits. Comme, après une investigation plus poussée qu'il n'eût convenu, il ne trouvait toujours pas, il alla consulter le tenancier de l'établissement, qui jouissait d'une réputation de sagacité absolument pas surfaite, et qui n'avait pas son pareil pour se tirer d'embarras. Il ordonna donc au garçon de partir sur-le-champ acheter deux presse-citron (afin qu'on fût bien sûr de n'en plus jamais manquer). En attendant, pour faire patienter les clients, il leur offrit, sans aucuns frais supplémentaires, de petits tôt-faits qui sortaient du four. Cela ne fut guère du goût des sportifs, qui étaient venus boire, et non manger, et qui se seraient abstenus de prendre même une boisson sucrée. Entre-temps[3], le garçon était revenu avec les ustensiles nécessaires à la préparation des jus de fruits. Ce n'est qu'à ce moment qu'on s'avisa qu'il n'y avait plus un seul fruit dans le bistrot[4]. Le patron était confus, et les clients furieux. Trois quarts d'heure s'étaient en effet écoulés depuis qu'ils étaient arrivés, et leur soif était devenue inextinguible. Ils réclamèrent donc deux verres d'eau qu'on n'osa pas leur faire payer.

---

1. On peut aussi écrire: «snobs».
2. Ou «fruit».
3. Ou «entre temps».
4. Ou «bistro».

47

UNE VICTOIRE

Les hussards combatifs avaient littéralement massacré les combattants ennemis, sans subir aucune perte majeure. Seul l'un des sous-officiers, un jeune maréchal des logis, avait vu mourir son cheval bai, à la suite d'une blessure au chanfrein que lui avait faite une chantignole violemment projetée dans les airs par une explosion, alors que le cavalier et son coursier étaient dissimulés derrière une masure qui était directement sous le feu des canons de l'adversaire. Le sous-off en avait été fort marri, et avait beaucoup pleuré sa monture, ce qui surprit et même fâcha certains de ses camarades, qui lui reprochaient de vouloir faire le mariolle[1] en affectant ainsi un romantisme et une sensibilité exagérés. C'est que cela leur faisait une belle guibolle[2], à ces rustauds, à ces gorets, que de voir mourir un bourrin, un vulgaire canasson, fût-il de race pure. Il faut dire toutefois que, le soir, au bivouac, le maréchal des logis, après quelques coups de gnôle[3], oublia bien vite son chagrin et se mêla sans remords à l'hilarité et à la gaieté[4] générale, et prit même plaisir à débiter d'invraisemblables gaudrioles. Une telle gaillardise, après la tension extrême de la bataille, était des plus compréhensibles, et c'est pourquoi l'aumônerie militaire elle-même ne songea pas à s'en formaliser, et ne chapitra pas les fêtards (de toute façon, les vieux abbés qui avaient été affectés à la chapellenie dans les régiments de cavalerie étaient réputés pour leur bonhomie et leur indulgence). La fête champêtre se poursuivit donc très tard, et permit aux valeureux vainqueurs d'oublier les émotions de la journée, tout en réparant leurs forces en prévision des batailles à venir.

---

1. Ou «mariol», ou «mariole».
2. Ou «guibole».
3. Ou «gnole», «gniole», «gnaule», «niole».
4. Ou «gaîté».

48

UN COLLECTIONNEUR

En sortant de chez l'antiquaire qui lui avait vendu une magnifique fibule romaine — c'est-à-dire une sorte d'agrafe —, le collectionneur s'aperçut que l'un des chevaux de son attelage avait des fics, et que l'autre avait des tiques (nous voulons parler ici des insectes aptères parasites, et non des tics, qui consistent, chez le cheval, en une déglutition ou une régurgitation spasmodique d'air, laquelle est accompagnée de contractions musculaires). Le collectionneur s'en surprit d'autant plus qu'il n'avait pas remarqué la chose lorsqu'il était monté, peu de temps auparavant, dans son coupé archaïque (qui n'était pas sans avoir des allures d'antique carriole). Si l'on y réfléchit bien cependant, on s'expliquera assez aisément ce manque d'attention, car notre homme, comme tous ceux qui partagent sa manie, était assez distrait, et même lunatique (bien qu'il ne fût pas sélénite).

Contrarié au plus haut point, le collectionneur eût voulu conduire ses bêtes chez un vétérinaire qui les eût soignées promptement. Malheureusement, il était déjà bien tard, et il lui fallait aller au plus vite dans une ficellerie et dans une chapellerie où il comptait se procurer des pièces des plus intéressantes — nul n'ignore en effet que les collections de ficelles et de chapeaux sont parmi les plus excitantes qui soient. Dans ces circonstances, on comprendra que, eussent-ils été à l'agonie, eussent-ils été atteints de synovite ou de choléra morbus, ses chevaux, qu'il aimait pourtant beaucoup, fussent encore passés au second rang, après les servitudes qui lui étaient imposées par son exigeante passion, c'est-à-dire après les exigences de sa douce folie.

49

LA FRAGILITÉ DU BONHEUR

Les changements subits qu'avait subis la décoration de la maison furent remarqués et admirés avec envie par tous les invités. Chacun vantait le bon goût de la maîtresse de céans: on s'exclamait à qui mieux mieux, on la louangeait à l'envi. Peut-être y eut-il certes quelque hypocrisie dans l'enthousiasme de quelques-uns des visiteurs, car il faut une certaine simplicité, voire, dirait un cynique, une ingénuité assez rare, pour reconnaître en toute bonne foi, sans aucune arrière-pensée et sans aucune restriction mentale, que quelqu'un, surtout s'il est du même monde que vous, possède des choses, quelles qu'elles soient, plus belles que les vôtres. Ainsi, si le voisin s'achète des meubles luxueux, on se dira qu'on préfère la sobriété, ou que le confort est préférable au luxe, etc. Toutefois, cette jalousie secrète mêlée de mauvaise foi, aux yeux de la maîtresse de maison, était un éloge plus flatteur et plus émoustillant pour son amour-propre que n'eût été l'admiration naïve de gens sincères et humbles. D'ailleurs, la joie (d'aucuns, de mauvaises langues, sans doute, diraient l'infatuation) était si visible sur son visage, qu'il en semblait rajeuni de plusieurs années: de sorte que ce que son médecin avait vainement tâché de faire — lui enlever ses rides — au moyen de crèmes, de lotions, d'emplâtres émollients, ou d'opérations chirurgicales dangereuses, un simple décorateur l'avait réussi, d'une façon inattendue et détournée, en offrant à sa vanité un nouveau titre de gloire. Hélas! de tels bonheurs sont destinés à s'évanouir aussi vite qu'ils sont nés, car la jalousie d'autrui, dont notre grande dame s'enorgueillissait et s'ébaudissait, est un venin en puissance, une source de désirs haineux et fielleux qui ne voudront pas rester longtemps inassouvis, et qui conduiront tôt ou tard à une éclatante vengeance.

50

UN MALFRAT

Deux gendarmes costauds venaient de faire irruption dans le petit café. La patronne grommela quelques mots, tout en feignant de ne pas s'être rendu compte de leur présence. Les policiers ne surent pas malheureusement interpréter son grommellement, et l'interpellèrent un peu rudement, pour qu'elle leur dît plus clairement où était l'homme qu'il convenait d'arrêter. Elle le désigna d'un geste du doigt, sans prononcer aucun mot, de peur de se compromettre davantage. L'individu en question était un petit escroc, connu aussi bien de la police que des commerçants, qui s'en méfiaient énormément et téléphonaient aux autorités dès qu'ils le repéraient. Ce n'était pas à vrai dire un criminel dangereux, mais il avait néanmoins la réputation de pratiquer à tire-larigot le vol à l'étalage et le vol à la tire, et il s'était fréquemment rendu coupable de grivèlerie. Étant donc entré dans le café, il s'était fait servir une pâtisserie, laquelle, il faut le dire à sa décharge, ne valait que quelques groschens (car toute cette scène se déroulait en Autriche). La patronne, surprise par un tel culot, par un tel sans-gêne, avait été trop décontenancée pour refuser, mais elle avait discrètement fait appeler les gendarmes. Ceux-ci s'approchèrent donc du suspect, l'interrogèrent sommairement, et le sommèrent de régler immédiatement sa note. Le bandit essaya de louvoyer, de finasser, tergiversa, argua du coût peu élevé du gâteau qu'il avait illégalement consommé. La muflerie du goujat n'avait jamais été si évidente. Comble d'impudence, il accompagnait toutes les arguties qu'il proférait d'un affreux et sadique sourire d'iguanodon, de dinosaure ou de tyrannosaure. Excédés par tant de mauvaise foi, les policiers le firent mettre en tôle[1], c'est-à-dire qu'ils l'enfermèrent dans une geôle.

---

1. Ou «taule».

51

DEUX BOURREAUX DE TRAVAIL

Le savant, bien qu'il fût passablement égrotant, n'avait pu résister à la tentation de braver le froid et les autans de l'automne pour se rendre à son laboratoire. Son assistante, une jeune femme prévenante, qui avait beaucoup d'entregent et pratiquait le tact comme si c'eût été une vertu théologale, vint à la porte lui offrir un petit verre de liqueur anisée, laquelle n'avait certes pas, contre les toussotements et les quintes de toux, l'efficacité des pastilles de menthe, ou mieux, de l'alcoolat de menthe, mais était néanmoins préférée par l'homme de science[1] en raison de son goût. Le savant remercia avec effusion son acolyte, et savoura lentement le breuvage qui le ragaillardissait, le ravigotait, le revigorait plus efficacement que n'eût fait le plus mystérieux des philtres.

Il convenait cependant de se mettre au travail au plus tôt. L'assistante, avec sa coutumière bienveillance, avait déjà préparé le matériel nécessaire à la réalisation des expériences qu'avait projetées le professeur. Ce dernier étudiait principalement les phénomènes d'électrolyse, et il se proposait de mesurer avec précision les propriétés électrolytiques de quelques électrolytes relativement rares et peu connus, que l'assistante avait disposés sur la paillasse, à côté du générateur, du circuit électrique, et des deux électrodes, l'une positive, l'anode, vers laquelle convergeraient les anions (c'est-à-dire les ions négatifs), et l'autre négative, la cathode, qui attirerait les cations (soit les ions chargés positivement). Il ne restait donc qu'à fermer le circuit et à faire, grâce à des appareils de mesure, des relevés détaillés. Ce travail était très absorbant et, à la fin de la journée, les deux collaborateurs s'aperçurent qu'ils s'étaient si bien laissé emporter par l'enthousiasme qu'ils avaient oublié de dîner.

---

1. On écrit aussi: «homme de sciences».

52

UNE MAISON HANTÉE

Des ficaires fanées et desséchées traînaient dans un vase vernissé un peu ébréché. Le sol était jonché d'écales de noix et de châtaignes qu'on n'avait pas balayées, et d'écalures de café qu'on avait oubliées là, c'est-à-dire, qu'on avait oublié de ramasser. Les lattes de chêne du parquet étaient disjointes, la peinture des plinthes était écaillée. Une chaîne rouillée, à laquelle était peut-être autrefois suspendu un lustre, demeurait accrochée au plafond, dépourvue de toute grâce comme de toute utilité. La fenêtre mal fermée laissait passer un filet d'air qui produisait une sorte de sifflement geignard, une sorte de plainte, un murmure malveillant. Il semblait vraiment que cette maison avait été laissée à l'abandon, que des propriétaires négligents l'avaient laissée s'acheminer vers la ruine et l'avaient laissé abîmer par les intempéries. Comment, en effet, expliquer autrement l'état de délabrement dans lequel se trouvait cette demeure bourgeoise et cossue?

En fait, l'explication du mystère était beaucoup plus simple, quoique tout à fait incroyable — au moins aux yeux des rationalistes et des sceptiques. Les habitants de la maison s'en étaient tout simplement vu chasser, après que s'y fut manifestée une série de phénomènes terrifiants et inexplicables, ceux-là mêmes qui sont souvent désignés sous le nom générique de poltergeist. En vain avait-on fait appel aux services d'un exorciste professionnel, qui s'était enfui à toutes jambes, pris d'une frousse diabolique, après avoir tenté de tracer, à minuit sonné, une sorte de pomerium[1] autour de la maison, à l'aide d'une charrue polysoc (car la technique religieuse s'est bien améliorée depuis l'époque de Romulus). Ainsi donc, il avait bien fallu se résigner à abandonner cette demeure maudite.

-----

1. Ou «pomœrium».

53

UN CURIEUX RÉGIME

Le gourmet avait commandé des artichauts poivrade, des pommes de terre à la croque au sel[1], des salsifis et des filets de sole. À la grande surprise du maître d'hôtel, cependant, il refusa catégoriquement de prendre du vin. Ce petit mystère, qui laissa le larbin pantois, scandalisa presque le sommelier, et rendit le propriétaire de l'établissement tout penaud (car il était très fier de sa cave), s'expliquait pourtant le plus simplement du monde. C'est que le gourmet en question n'était en fait que l'un des très nombreux critiques en matière de cuisine qu'employait une maison d'édition réputée, qui publiait annuellement un guide gastronomique répertoriant les meilleurs restaurants en leur attribuant une cote proportionnelle à l'excellence de la chère qui y était servie.

Or, certaines dispositions syndicales extrêmement strictes interdisaient formellement à un critique de cuisine de cette maison d'accomplir des fonctions ressortissant au domaine des critiques en matière de sommellerie — ou plus exactement d'œnologie. Il en allait de même avec la pâtisserie, qui dépendait d'une troisième corporation représentée par une guilde[2] très pointilleuse et très vindicative. C'est pour cette raison que le gourmet s'abstiendrait également de prendre un dessert — car ce n'était pas du reste que l'envie lui en manquât[3], et il ne se fût certes pas abstenu de s'enivrer de grands crus ou de s'empiffrer de gâteaux moelleux et crémeux, s'il en eût eu les moyens. On comprend bien en effet que ce ne sont pas de simples scrupules de solidarité syndicale qui le gênaient, mais bien plutôt le fait que l'employeur, lié par la convention collective, ne lui rembourserait que le prix du plat principal. Or, comme la renommée du restaurant où il se trouvait n'avait d'égale que sa cherté, il était bien obligé de se contenter de l'étrange régime qui avait tant étonné les domestiques.

---

1. Ou à la «croque-au-sel».
2. Ou «gilde», ou «ghilde».
3. D'après Grevisse, «ce n'est pas que» est suivi du subjonctif, bien que l'on rencontre parfois aussi l'indicatif et le conditionnel (quoique rarement).

54

UN PAYS SAUVAGE

Le pain était encore dans la maie, c'est-à-dire dans la huche. Le pot de beurre était sur le bahut, les couteaux étaient rangés sur l'une des tablettes de la crédence. Il ne restait plus à la paysanne qu'à aller chercher dans l'appentis un de ces jambonneaux imprégnés de saumure qu'elle gardait toujours en réserve, pour pouvoir préparer des sandwichs[1] aux excursionnistes qui lui avaient demandé l'hospitalité. La vieille femme, peu habituée à rencontrer des étrangers, faisait preuve d'une extrême affabilité. C'est que le tourisme n'était pas encore très développé dans ces régions transylvaines, qu'il ne faut surtout pas confondre avec les régions transsibériennes, très éloignées des premières et très différentes géographiquement et socialement. Seuls quelques aventuriers audacieux osaient visiter ces contrées pourtant très intéressantes. Outre le paysage grandiose, on pouvait notamment y admirer de magnifiques sites archéologiques, qui furent vraisemblablement habités autrefois par les Scythes, sans compter les nombreuses ruines de châteaux forts médiévaux. Certes, il faut convenir que l'absence quasi totale, la quasi-inexistence de toutes les infrastructures touristiques qu'exige le voyageur moderne en décourageait[2] plus d'un. Ainsi, nos excursionnistes, la plupart du temps, devaient dormir sous des tentes, à moins qu'un habitant n'acceptât de les héberger dans une grange. Cela n'allait pas d'ailleurs sans présenter un certain danger: d'une part à cause des ours bruns (à ne pas confondre avec les grizzlis[3] des Rocheuses), et d'autre part à cause des vampires, qui ont rendu la région célèbre. Ces derniers heureusement se font de plus en plus rares depuis qu'on se livre dans le pays à la culture extensive des aulx, et l'on prévoit que ces spectres antipathiques ne feront pas de vieux os.

---

1. Ou «sandwiches».
2. Lorsqu'on a deux sujets synonymes non coordonnés, le verbe s'accorde avec le plus rapproché d'entre eux.
3. On peut dire: un grizzli, des grizzlis; ou un grizzly, des grizzlies. Mais on peut utiliser aussi le pluriel «grizzlys».

55

UN MUSICIEN

Le musicien semblait plongé dans une profonde extase. Excepté ses mains qui couraient avec agilité sur le clavier du clavicorde — cet instrument peu connu qui est l'ancêtre du piano — on eût cru qu'il avait été statufié, tant son immobilité était absolue. Cet homme timide, atteint d'éreutophobie[1], paraissait avoir complètement oublié la foule des artistes, des bourgeois, des gens du monde, des notables, des étudiants venus compléter leur formation musicale, qui tous l'écoutaient avec ravissement. C'est que la passion du musicien, qui confinait à l'éréthisme, le plongeait dans une sorte d'état second où il perdait conscience de la réalité extérieure, une sorte de furie ou d'ivresse, analogue somme toute à celle qui animait les bacchantes, alors qu'elles parcouraient la campagne en poussant des cris et en brandissant des thyrses. Tous les auditeurs d'ailleurs sentaient bien que l'émotion de l'artiste n'était pas affectée, qu'elle n'était pas une vaine simagrée, mais bien la conséquence, l'expression naturelle d'une sensibilité extrême, d'un talent exceptionnel. Chacun savait que ce musicien, outre ses dons d'exécutant et ses connaissances théoriques approfondies, avait une oreille d'une extraordinaire finesse, capable de distinguer entre elles des notes enharmoniques, ne différant que d'un comma à peine. La pièce qu'il interprétait ce jour-là était une sonate en ut dièse majeur qu'il avait lui-même composée. Il était accompagné d'un petit ensemble assez composite de musiciens, appartenant les uns à un orchestre symphonique, et les autres à un orchestre philharmonique. Ce morceau fort difficile exigeait un talent de virtuose, et l'interprète savait pertinemment qu'il serait totalement courbatu après la représentation, mais cela n'altérait en rien la joie ineffable qu'il ressentait.

---

1. Ou «éreuthophobie».

56

DES SOINS QU'IL FAUT DONNER
AUX LIVRES ANCIENS

Les bibliothécaires, c'est bien connu, ne sont pas aussi soigneux que les bibliophiles. Alors que les premiers malmènent parfois les livres qu'on leur a confiés, les seconds bien souvent époussettent jusqu'à vingt fois par jour le même in-folio aux pages jaunies qu'ils ont payé de leurs deniers. Cette différence s'explique bien sûr par l'instinct de propriété, mais aussi peut-être par le blasement qui atténue, chez le rat de bibliothèque professionnel et plus ou moins mercenaire, l'amour inné des vieux livres. Il n'y a pas lieu de s'en faire, d'ailleurs, car une sollicitude excessive et inquiète est parfois nuisible, davantage en tout cas qu'une désinvolture qui s'appuie sur un savoir-faire réfléchi et raisonné. Par exemple, jamais un dilettante ne serait capable de restaurer un manuscrit abîmé (même en sachant que sans cela, le livre risque avec le temps d'être complètement détruit), non pas faute de connaissances, mais bien parce que cette opération exige souvent qu'on découse les tranchefiles, les signets, qu'on décolle les feuillets, et même qu'on défasse — pour mieux les réparer — de somptueuses reliures en maroquin, bref, que l'on se livre à une sorte de vandalisme salutaire, analogue au travail cruel mais nécessaire du chirurgien. Parmi les experts en ce domaine, l'un d'entre eux, le célèbre professeur Georges Leblond, était réputé pour son audace et son ingéniosité. Un témoin privilégié, dans ses *Mémoires* aujourd'hui oubliés, racontait l'avoir vu un jour, assis devant son humble pupitre, reconstituer avec une patience infinie un papyrus hellénistique dont on avait retrouvé quelques morceaux, et qui contenait quelques fragments d'un chapitre de l'*Épître* de saint Paul à Tite. Jamais un collectionneur n'eût pu tenir cette gageure, car il n'eût pas osé manipuler les précieuses reliques, et encore moins prendre le risque de les recoller sur un carton.

57

UN DÉPENSIER

Bien que le créancier se fût montré satisfait de la fidéjussion, et que cette caution lui semblât en tous points acceptable, le débiteur ne laissait point de s'inquiéter encore, même s'il était momentanément débarrassé de la menace d'une intervention des huissiers — lesquels, après avoir dressé un protêt, eussent bien pu procéder à une saisie. C'est qu'après tout il n'avait fait que tomber en Scylla pour éviter Charybde, c'est-à-dire qu'il avait échangé la sujétion à son créancier contre une autre, plus délicate encore, à son ami d'enfance, qui s'était porté garant de sa dette. Or, il n'est rien de tel qu'une histoire d'argent pour brouiller irrémédiablement deux amis, si intimes qu'on les croie, et c'est à cela qu'il ne pouvait s'empêcher de songer avec amertume et mélancolie. Dieu sait à quelles invasions, à quels envahissements, à quelles agressions, à quelles ingressions attentatoires à sa vie privée son ami se croirait autorisé à se livrer! Ce camarade autrefois bienveillant deviendrait un censeur impitoyable, il lui reprocherait son train de vie, critiquerait les dîners somptueux et les raouts élégants qu'il se plaisait à donner. «Eût-ce dépendu de moi seul, se disait-il, je n'eusse jamais consenti à accepter les offres de mon ami, et j'eusse préféré la prison. Mais, hélas! il me faut songer à ma famille, que je ne puis déshonorer, et qui compte sur mon soutien.» Aussi bizarre que cela puisse sembler, il ne lui était jamais venu à l'esprit qu'il pouvait résoudre simplement son problème en réduisant, spontanément, de son propre chef, ses dépenses excessives. En effet, il faisait partie de cette classe d'hommes pour qui les agitations, le perpétuel va-et-vient de la vie mondaine, les fêtes sont plus nécessaires que l'oxygène.

58

UN HOMME OCCUPÉ

L'homme d'affaires, qui possédait une luxueuse villa sur le littoral méditerranéen, marchait paisiblement sur le rivage, enjambant les rochers et les crithmes qui y avaient déjà crû — puisque le printemps était maintenant avancé — mais que l'on n'avait pas encore cueillis, parce que leur mûrissement n'était pas encore achevé. Du jardin, qui donnait sur la mer, montait l'odeur capiteuse qu'exhalaient les fleurs coruscantes des bergamotiers. Bien qu'il y fût habitué — car il avait fait fortune en se livrant au commerce de l'essence de bergamote — le propriétaire en était presque entêté, et cela lui gâchait le plaisir de sa promenade vespérale. Au demeurant, la flânerie ne lui convenait guère. Comme tous les hommes sérieux, il était atteint de bougeotte compulsive et détestait les activités improductives. Même une balade en famille lui semblait une intolérable perte de temps. C'est pour cette raison qu'il n'allait pratiquement jamais dans son jardin, pourtant admirable, et décoré de nombreuses statues, notamment un magnifique Apollon musagète. Le seul passe-temps qui lui était agréable — et encore, à condition qu'il n'eût absolument rien d'autre à faire, et que le budget de son entreprise ne fût pas déficitaire, ce qui le rendait neurasthénique — c'était, Dieu sait pourquoi, la pêche au gymnote. Évidemment, il ne dédaignait pas les plaisirs de la vie en général, mais s'assurait chaque fois qu'ils ne prissent pas trop de temps. Ainsi, quoique amateur de bonne chère, il fuyait les restaurants, préférant manger chez lui — à la hâte — ses plats favoris: le clafoutis aux pommes, le couscous, le ragoût de chevreuil, les chauds-froids de volaille et, bien entendu, les bonbons à la bergamote, d'autant plus succulents qu'ils ne lui coûtaient pas un sou.

59

DES HÔTES ROYAUX

L'horticulteur contemplait avec amour les boules-de-neige qu'il avait taillées et la pelouse gazonnée qu'il avait tondue, lorsque son attention fut soudainement attirée par un groupe de boulistes insolents — de véritables malotrus — accompagnés d'un bouledogue fort peu amène (si l'on en juge par son rictus sardonique, qui lui laissait les crocs à découvert, ce qui faisait couler la bave sur ses badigoinces), lesquels pénétraient sans aucune gêne sur le magnifique boulingrin, qu'ils prenaient peut-être, par une étrange confusion que l'étymologie peut expliquer mais non pas excuser, pour un vulgaire boulodrome. Le jardinier pouvait-il prendre le risque de voir massacrer, piétiner, arracher, peut-être, ses chères plantes qu'il avait tant de plaisir à soigner, et qu'on lui avait toujours vu protéger avec une diligence quasi maternelle, et notamment ses précieuses malpighies, qui n'étaient encore que de fragiles boutures? C'était évidemment impossible, mais, hélas! il était tout aussi impensable d'employer les méthodes fortes et d'expulser manu militari les dangereux intrus. Cela ne tenait pas seulement à la présence du clebs malveillant décrit ci-dessus, mais aussi à celle d'un détachement de bachi-bouzouks. Ces Ottomans servaient de gardes du corps aux deux joueurs de boules, qui étaient en fait, l'un le bey de Tunis, l'autre le dey d'Alger. Les yachts de Leurs Hautesses avaient quitté récemment le port d'Alger et la baie de Tunis, où ils étaient habituellement amarrés, et s'étaient dirigés vers Marseille, dans le seul dessein de permettre aux deux monarques de jouer une vraie partie de boules dans une ambiance authentiquement provençale. On le voit, le jardinier ne pouvait décevoir des visiteurs aussi distingués.

60

UN DÉTECTIVE

Sur la cheminée du salon, entre deux statuettes dahoméennes, trônait le daguerréotype d'un trisaïeul, mort de néphrite ou de pyélite, on ne sait, et qui avait souffert toute sa vie de pollakiurie. Quelques lames d'un antique tarot, vénérable héritage d'une grand-tante plus ou moins pythonisse, étaient négligemment étalées sur une table basse. Au mur était accroché un sabre de cavalerie en parfait état, qui avait vraisemblablement appartenu à un polaque du grand siècle. Les meubles étaient de chêne et d'ébène, les rideaux étaient en damas. Une vitrine, dans un coin, protégeait de précieux silex chelléens. Une gravure représentant un pharaon coiffé du pschent, et une autre montrant une trirème dont on voyait le capitaine, debout sur le gaillard d'avant, près de la proue, l'air soucieux, comme s'il avait deviné que la bonace trompeuse dissimulait des signes de tempête, voilà quelles étaient les seules autres décorations des murs. Tout l'espace restant était occupé par les étagères d'une bibliothèque.

C'est dans ce décor un peu hétéroclite, et même disparate, quoique assez impressionnant, que le célèbre détective privé Georges Leduc avait l'habitude de recevoir ses clients. Il pensait en effet que l'aménagement des lieux n'était pas une question indifférente: d'une part, parce qu'il avait des goûts d'esthète et de collectionneur, d'autre part parce qu'il estimait qu'il était essentiel d'inspirer le respect à ses visiteurs en les mystifiant un peu par l'étrangeté du cadre, ce qui rendait l'accueil d'autant plus solennel. De la sorte, les clients, qui étaient parfois des individus suspects, étaient dissuadés de tromper ou de berner le détective, et n'étaient pas tentés de lui donner de vicieux crocs-en-jambe.

61

UNE DISTRACTION FATALE

L'explorateur venait de pénétrer dans la caverne qu'il avait cru être l'antre du prétendu monstre qui terrifiait les indigènes du village voisin. Une gigantesque vasque conchoïdale était fixée sur une sorte de piédestal. La grotte tout entière était illuminée par des flambeaux fixés sur les parois, ainsi que par des lampes suspendues à des chaînes accrochées à des pitons métalliques. La vasque elle-même eût pu servir de brasero et dissiper ainsi toute obscurité, ne laissant aucun coin dans la pénombre, mais elle était actuellement vide. Néanmoins, la demi-lumière était suffisante pour permettre à l'explorateur de se repérer, et, d'un certain point de vue, elle était préférable à une clarté totale, car elle produisait toutes sortes d'ombres et de reflets sur les stalactites et les stalagmites, ainsi que sur les murs parcourus de veines schisteuses, avec çà et là des éclats de quartz et de porphyre. L'effet était indéniablement grandiose, et l'on l'eût contemplé pendant des heures sans se lasser.

Ce fut là l'erreur fatale de l'explorateur. Tout occupé à sa jouissance esthétique, ce dernier vit trop tard la troupe de guerriers agressifs, lesquels se précipitaient vers lui en brandissant des épées ressemblant à des spathes, ainsi que des sagaies. Tous portaient des masques hideux, qui étaient sans doute à l'origine des légendes qu'on avait rapportées à l'explorateur au sujet du monstre cavernicole. Quoi qu'il en soit, l'imprudent fut rapidement maîtrisé et conduit vers une marmite. Ce n'est qu'alors qu'il comprit qu'il avait affaire à une société secrète d'anthropophages, c'est-à-dire de cannibales, qui s'apprêtaient à le manger. Il eut beau leur expliquer que ces dérèglements étaient proscrits par la réglementation coloniale, rien n'y fit: il fut impitoyablement dévoré.

62

UN ÉDITEUR AVISÉ

Le folliculaire était occupé à folioter un volumineux manuscrit dactylographié qu'on lui avait confié pour qu'il le corrigeât. Cela n'était pas exactement ce qu'on peut appeler folichonner ou folâtrer. Aussi, pour tromper son ennui, le journaliste grignotait des matefaim que lui avait envoyés sa grand-mère, qui habitait dans un petit hameau maraîchin. Il faut dire, certes, qu'il n'avait pas tort de se sentir contrarié et lésé: après tout, il avait été engagé par un tabloïd[1] à grand tirage, et il pouvait s'attendre le plus naturellement du monde à se voir confier des reportages intéressants, les carambolages, par exemple, ou les meurtres crapuleux. Au lieu qu'on lui demandait, sous le prétexte assez fallacieux, spécieux, et même captieux, que le journal possédait une maison d'édition, de réviser les épreuves typographiques d'ouvrages aussi ennuyeux que rébarbatifs. Ainsi, le livre dont il numérotait présentement les pages avec si peu d'enthousiasme était une étude morphologique comparative de plusieurs langues flexionnelles. La tâche était d'autant plus ingrate, d'autant plus absurde et ridicule, que le texte comportait de nombreux exemples rédigés dans des alphabets absolument inconnus du réviseur. L'éditeur en chef, qui, comme il le disait lui-même, n'était pas scrupuleux à ce point, avait toutefois rejeté l'objection, pourtant fondée, du revers de la main. Il avait ajouté, pour consoler son subordonné, qu'accéder à la rubrique des chiens écrasés était un honneur insigne, qui devait se mériter, et qu'on ne pouvait atteindre qu'après une longue carrière dans les bureaux obscurs. Concluant enfin l'entretien, il le menaça, s'il osait encore se plaindre, d'une affectation aux pages culturelles du journal, ce qui était, après le congédiement, la plus sévère mesure punitive en usage dans la maison.

---

1. Ou «tabloïde».

63

UN JALOUX

L'homme du monde avait d'excellentes raisons de se sentir furieux: les malheurs l'accablaient, et semblaient prendre plaisir à s'acharner sur lui. Tout d'abord, depuis plusieurs semaines, il se sentait migraineux. Ensuite, il avait découvert que ses précieuses vignes étaient atteintes du mildiou. Or voilà qu'aujourd'hui, sa femme, une mijaurée, une pimbêche assez difficile à supporter, se permettait de minauder, au cours d'une réception des plus élégantes, et allait jusqu'à coqueter avec des jeunes gens à la mode. Rien n'est plus irritant, même pour un mari peu jaloux, qu'une femme qui coquette sans retenue et sans pudeur, et il n'est rien de tel que de laisser passer ces choses sans rien dire pour se créer un réputation de jobard, pour développer autour de soi une indélébile aura de cocuage. Déjà le pauvre homme croyait entendre les lazzi[1], les propos désobligeants, les plaisanteries déshonnêtes et obscènes qu'on se plairait à colporter dans toute la bonne société (car la bonne société se plaît à ce genre d'esprit, et ne tait pas volontiers les cancans, les clabauderies, les racontars, les ragots et les potins). Cependant, rien ne serait plus pénible à endurer que les consolations ambiguës et hypocrites des vieilles gens férus[2] de moralité et de puritanisme, rien ne surpasserait en ignominie la compassion des soi-disant amis intimes. Tout en ruminant ces sombres pensées, le mari jaloux tâchait de demeurer imperturbable et de conserver son calme et sa dignité. Pour cela, il feignait de rêvasser paisiblement, et grignotait de la cancoillotte ainsi qu'un fruit candi. À force de penser, une solution se présenta enfin à son esprit: le seul moyen de sauver son honneur était de contre-attaquer, et de prendre une maîtresse au plus tôt.

---

1. Ou «lazzis».
2. L'adjectif ne se met au féminin que s'il précède immédiatement le mot «gens».

64

LA LOI DE LA JUNGLE

Un spectacle atroce attendait le chasseur dans l'entre-deux séparant les bosquets vers lesquels il s'était dirigé. Deux loups-cerviers s'y étaient entre-dévorés, entr'égorgés, entremangés[1]. Sans doute s'étaient-ils entr'aperçus[2], puis entr'appelés avec des cris sauvages, avant de s'entre-frapper dans un combat cruel et sans merci. Assurément, les deux fauves avaient dû s'entre-haïr et non s'entr'aimer, car leurs deux cadavres étaient entrecroisés, entrelacés à mi-corps, dans une fatale et meurtrière étreinte. Si les deux bêtes s'étaient imaginé et figuré que l'une d'entre elles survivrait à ce duel, elles avaient erré: elles étaient en effet toutes deux d'une force égale.

Le chasseur, en contemplant ces charognes squelettiques, avait du mal à dissimuler son dégoût. Il prit donc le sage parti de s'éloigner de la scène du carnage. Qui pourrait expliquer cette tuerie, cette petite hécatombe? Jamais, au cours de ses précédentes parties de chasse (et Dieu sait qu'elles s'étaient succédé en grand nombre durant sa longue vie), le chasseur n'avait-il rien vu de pareil. On ne doit pas s'en étonner: un chasseur, même expérimenté, n'a pas les connaissances précises et détaillées que peut avoir un zoologiste au sujet des mœurs des animaux. Les chasseurs, c'est bien connu, trop occupés à occire leurs nombreuses proies, ne se sont jamais plu à en étudier le comportement, sauf si cette étude peut les aider dans leur entreprise meurtrière et destructrice. C'est cela qui explique la surprise et l'hébétement du chasseur devant une scène pourtant très naturelle.

---

1. On admettra aussi: «entre-égorgés», «entre-mangés».
2. Ou «entraperçus».

65

UN MAIGRE BUTIN

L'huissier pénétra dans la chambre du fil-de-fériste[1].
Celle-ci était meublée de bric et de broc, et elle était
encombrée d'un véritable bric-à-brac. Un seul coup
d'œil suffit à l'officier de justice pour se rendre
compte qu'il n'y aurait rien à espérer de la saisie.
Sans grand espoir, il s'adressa au coupable en
disant: «Il vaudrait mieux nous dire tout de suite où
vous cachez votre grisbi.» L'autre ne pipa pas. Il
savait trop bien que quoi qu'il arrivât, il n'en pourrait mais. Il s'était déjà résigné au pire, et laissait
faire les gendarmes sans protester. L'huissier, pendant ce temps, soupesait d'un air soupçonneux un
héronneau empaillé, cherchant à deviner si l'on
n'avait pas par hasard camouflé de l'argent dans
l'étoupe. Déçu de ne rien trouver, il ordonna qu'on

commençât à sortir les meubles. On s'aperçut bien vite qu'on n'y parviendrait jamais si l'on ne débarrassait pas au préalable le plancher de l'amas hétéroclite d'objets bizarres dont il était couvert. Ces derniers, que le hasard seul avait rassemblés là, obstruaient la porte et empêchaient de circuler dans la chambre. Il était impossible de deviner à quoi ils avaient bien pu servir, sinon à décorer les lieux. Ainsi, il y avait une pagaie de canoë. Interrogé par l'huissier, l'acrobate soutint qu'il n'était pas canoéiste, et qu'il n'avait jamais possédé aucune embarcation. L'un des gendarmes signala qu'un coffret contenait des camées qui, vus de loin, semblaient être en onyx, en agate, en améthyste, mais qui n'étaient en fait que de la verroterie. L'huissier, sans s'avouer vaincu, se mit à dresser l'inventaire de tous ces trésors, sous l'œil ironique de l'artiste.

---

1. Ou «fildeferiste».

66

UNE CURIEUSE BOUTIQUE

L'étalage de la passementière était couvert de gansettes qu'elle avait elle-même cousues. De nombreuses dames élégamment vêtues, aguichées et alléchées par les soldes ainsi exposés, accouraient vers la petite mercerie. On se pressait en foule pour admirer, choisir, acheter les rubans, les galons, et tous les autres menus passements que la marchande bradait à des prix dérisoires. La plupart de ces articles avaient été confectionnés sur place, dans le petit atelier qui jouxtait la boutique. Cela expliquait leur allure quelque peu artisanale et leur originalité, lesquelles suscitaient l'admiration de la clientèle. Certes, une partie de la marchandise avait été achetée en gros dans une rubanerie, mais la majorité des clientes n'y accordait[1] aucune attention, et ne s'intéressait qu'à ce qui était fait à la main.

La renommée de cette boutique était très grande. Même lorsqu'il n'y avait pas de soldes, on y venait de toutes parts[2]. Toutes les classes sociales s'y côtoyaient, et l'on y voyait aussi bien d'humbles couturières que d'altières bourgeoises. C'est qu'on y trouvait vraiment de tout: la pauvresse y pouvait acheter à bon marché des retailles, des rognures d'étoffes colorées ou fleuries dont elle pourrait se faires des colifichets et des falbalas, tandis que la servante d'une grande maison s'y pouvait procurer sans peine des brandebourgs dont elle ornerait le dolman de son maître, amateur de chasse à courre. Ce magasin exceptionnel ne payait pourtant pas de mine, et, à première vue, on ne le distinguait pas des établissements plus vulgaires: c'est qu'on ne devinait pas tout de suite que ce capharnaüm dissimulait des trésors et des merveilles.

1. Le singulier est préférable, mais pas obligatoire.
2. Ou «de toute part».

67

UNE ÉNIGME

Chacun s'interrogeait sur la mystérieuse stèle que l'on avait récemment trouvée dans les plaines steppiques du nord du pays. Ce monument monolithe avait la forme d'une colonne sans chapiteau: il s'agissait donc d'une sorte de cippe. Les inscriptions plus ou moins hiéroglyphiques dont il était chargé excitaient la curiosité générale, et donnaient lieu à des rumeurs des plus farfelues. Aucun savant ne les avait encore déchiffrées, aucun n'avait même osé en proposer une vague interprétation. Certains prétendaient qu'elles présentaient de lointaines analogies, ou à tout le moins une parenté, une affinité, une connexion, avec les anciennes runes norroises[1]. Certains spécialistes du sanscrit[2] préféraient les rapprocher du devanâgari[3] ou même de la brahmi[4] archaïque. À côté de ces opinions sérieuses, quoique contradictoires, on pouvait également lire, dans les journaux à grand tirage, les élucubrations des gourous[5] les plus loufoques, des charlatans les plus cocasses et les moins scrupuleux. Ceux-ci, le plus souvent, parlaient d'un message des extraterrestres[6]. Certains le faisaient avec optimisme, et décrivaient les bienfaits qu'on pouvait attendre de ces visiteurs. D'autres se faisaient prophètes (ou prophétesses) de malheur, et annonçaient une invasion sauvage, une annexion brutale. On publia certaines sections du texte sibyllin, en y joignant des traductions dues à de soi-disant mages ou occultistes. La plus délirante faisait la description d'un monstre vengeur dont l'avènement était, paraît-il, imminent, et qui annihilerait ses victimes, en en faisant la dissection grâce à des mandibules acérées, et en absorbant leurs viscères par succion. On attend encore ces événements...

---

1. Ou «noroises».
2. Ou «sanskrit».
3. Ou «devanagari», ou «devanāgarī».
4. Ou «brāhmī».
5. Ou «gurus».
6. Ou «extra-terrestres».

68

UN HOMME SAGE

Le métayer rangea sa nouvelle médaille dans son médaillier. Il venait en effet de se faire médailler aux comices agricoles de sa paroisse. La petite terre qu'il avait prise à bail, bien qu'elle ne fît que douze acres et demie (c'est-à-dire six hectares et demi, ou, si l'on veut, six cent cinquante ares, ou soixante-cinq mille centiares), était néanmoins l'une des plus productives de la région. C'est pour cela que l'on avait tenu à honorer l'agriculteur. Ce dernier ne fut pas impressionné outre mesure par cette décoration qu'on lui avait conférée, car il avait reçu, dans sa jeunesse, alors qu'il était fusilier dans un régiment de zouaves, puis plus tard, lorsqu'il avait servi comme cavalier dans un corps de spahis, de nombreuses médailles bien autrement prestigieuses que celle qu'on lui avait donnée aujourd'hui. Des médailles, en fait, il en avait reçu près d'une demi-douzaine dans toute sa vie: cela peut suffire à blaser le plus vaniteux des hommes. D'autre part, il était trop intelligent pour ne pas savoir que les récoltes exceptionnelles qu'il obtenait étaient dues beaucoup plus à l'extraordinaire qualité du sol — une sorte de tchernoziom très fertile, où abondait le carbonate de chaux — qu'à ses propres talents de cultivateur. Toutefois, fidèle aux recommandations que lui avait faites sa femme, ainsi qu'aux conseils qu'elle lui avait fait promettre de respecter, il avait feint, devant ses pairs, d'éprouver de la reconnaissance, de la joie, et même de l'allégresse. C'est qu'il avait bon cœur et, ne voulant blesser personne, ne souhaitait pas qu'on surprît ou qu'on devinât ses sentiments profonds. Toutefois, lorsqu'il fut seul, sur le chemin du retour, marchant d'un pas allègre et caressant allégrement sa jument favorite et son verrat favori, qui l'avaient accompagné pour les concours, il ne put s'empêcher de sourire — indulgemment[1] — de ses voisins, qui faisaient tant de cas d'un telle bagatelle.

---

1. Ce mot ne figure pas dans tous les dictionnaires.

69

LES ENNUIS D'UN JARDINIER

Le jardinier regardait avec attention les baobabs et les cyprès que la maîtresse de maison lui avait demandé de tailler. Celle-ci désirait qu'il leur donnât une forme ichtyoïde, et le pauvre homme ne savait comment satisfaire cette extravagante exigence, cette exigeante requête. Habituellement, on ne l'employait que pour des travaux assez simples: par exemple, pour couper, au moyen d'un rhizotome (c'est-à-dire un coupe-racines), des rhizomes ou des racines qui affleuraient, bosselant la pelouse; ou encore, pour combattre les insectes nuisibles, comme les rhynchites, en épandant des insecticides. Jamais jusqu'à présent il ne s'était risqué à effectuer des tâches nécessitant des talents artistiques et esthétiques. Cela, son employeuse ne l'ignorait nullement, et elle ne pouvait s'être trompée ou l'avoir oublié. Comment, alors, expliquer ce paradoxe, cette commande insensée? La maîtresse de maison, que le jardinier avait toujours crue très compétente en matière d'horticulture, et qu'il avait même cru être une femme d'une exceptionnelle intelligence, serait-elle devenue subitement folle? Peut-être s'était-elle tout simplement jouée de lui, et avait-elle cherché à tirer prétexte de son éventuel refus pour le congédier au profit d'un autre plus qualifié, sans paraître pour autant injuste ou tyrannique? Plus vraisemblablement, elle se serait moquée de lui, elle se serait ri de son inexpérience et se serait complu à le mettre mal à l'aise. Le jardinier, qui était un brave homme un peu naïf, se sentit tout attristé de ce qu'il croyait être une méchanceté délibérée, et il se crut le plus malheureux des hommes. Il faut dire que sa vie avait été récemment assombrie par une série de malchances inattendues, et notamment par une maladie — une rhinite — qui l'avait cloué au lit pour une semaine, lui faisant perdre ses gages. On comprendra qu'il n'ait pas eu le cœur à plaisanter.

70

UNE MALADIE TENACE

Le vieux professeur était fort contrarié. Son catarrhe en effet l'empêchait de se consacrer à l'œuvre de sa vie, une étude magistrale et approfondie de la doctrine cathare. En vain le médiéviste avait-il tenté de plaider sa cause auprès de son médecin: ce dernier lui avait impitoyablement prescrit un repos complet, et avait ajouté, avec cet humour ironique et même cynique qu'on dit propre aux carabins, mais qui survit souvent chez le médecin, que le catharisme ne convenait pas aux catarrheux. Tout au plus lui avait-il permis de jouer de la cithare ou du xylophone, ce qui était son passe-temps favori, outre ses travaux d'érudition, bien entendu. Cette thérapeutique ne se révéla pas inefficace, et l'hypersécrétion des muqueuses nasales dont était affligé le professeur cessa bientôt. Il n'en alla pas de même cependant du stertor et des sternutations qui le faisaient tant souffrir. Les sirops, les cataplasmes, les fumigations n'y firent rien: le mal semblait incurable. Le médecin, en désespoir de cause, crut agir sagement en interdisant à son patient de brûler de l'encens dans sa chambre, comme il en avait l'habitude, ou de la parfumer avec de la myrrhe (cette manie lui avait été suggérée par la date de son anniversaire, qui tombait le jour de l'Épiphanie). Cette précaution n'eut aucun effet. Du coup, le savant se fâcha, menaça de ne pas payer les honoraires qu'il avait consenti par contrat à accorder en cas de guérison, et parla même de se faire rembourser les arrhes qu'il avait déjà versées à l'homme de l'art. Heureusement, le médecin eut par hasard une intuition géniale: il se rendit compte que son client était tout simplement allergique à la poussière que soulevait, en balayant le sol avec son appendice caudal, un sinistre mammifère appartenant à la famille des félidés. Une fois que l'agent sternutatoire eut ainsi été identifié et éliminé, le professeur recouvra la santé et put retourner à ses travaux.

71

UNE JOURNÉE DE VACANCES

La brise venue du large jouait dans les épillets des brizes et les faisait trembloter. Le temps était magnifique: la chaleur, tempérée par le vent, n'avait rien de torride, sans qu'on pût se plaindre pour autant d'une excessive fraîcheur. Debout dans une barque amarrée à un petit quai, un marin aux jambes torses épissait des cordages solides faits avec du fil de caret d'excellente qualité. Il était absorbé par cette tâche, et mettait un soin des plus minutieux à entrelacer les torons. Rien n'eût pu le distraire, pas même les cris des touristes qui se délassaient en se promenant sur la berge. L'un d'entre eux, pour attirer son attention, hala un câble attaché au grand mât, qui pendait librement et traînait jusque sur la grève. La barque en fut quelque peu déstabilisée. Le marin leva la tête précipitamment, comme un chien d'arrêt qui halène la proie. Son visage hâlé fut assombri par un sentiment de contrariété. Il interpella vivement les plaisantins et leur demanda ce qu'ils voulaient. Ceux-ci réclamèrent du poisson frais, pensant qu'on le leur donnerait gratis. «Des nèfles! répondit le marin en ricanant, vous irez en acheter aux halles.» Nullement troublés par ce refus, les jeunes gens entreprirent de mettre une yole à la mer, en disant qu'ils iraient plutôt pêcher eux-mêmes. Ils se faisaient fort, ajoutèrent-ils, d'attraper du poisson en si grande quantité que le marin en resterait bouche bée. Le joyeux luron qui s'était adressé le premier au patron de pêche s'improvisa nocher et s'efforça de piloter le frêle esquif. Cette équipée n'allait pas sans présenter certains risques, car la mer, malgré le beau temps, était passablement houleuse, et l'on pouvait s'attendre à l'un de ces grains subits qui surprennent tant les gens qui n'ont pas l'expérience du climat maritime. Le marin ne daigna pas les mettre en garde: les jeunes touristes ne l'auraient probablement même pas écouté.

72

UN VISITEUR MALADROIT

Par quelle aberration le vieil abbé avait-il ouvert l'abée du moulin à eau? Le meunier atterré regardait l'eau se déverser dans l'aber, songeant à la précieuse énergie hydraulique qui était ainsi gaspillée. Tout en se démenant pour refermer la vanne, il se reprochait vivement d'avoir laissé entrer un visiteur aussi négligent et aussi peu précautionneux dans sa minoterie. Lorsqu'il fut enfin venu à bout des valves qui, à cause de la rouille, étaient difficiles à manipuler, il jeta au vieux prêtre un regard courroucé, et lui recommanda de ne plus jamais commettre une aussi dangereuse bévue, une aussi grave maladresse. Rien n'était plus risqué, en effet, de l'avis du meunier, que de faire fonctionner à vide le moulin, surtout dans une période de sécheresse, où l'eau se faisait plus rare, et où le niveau du bief se faisait dangereusement bas. L'ecclésiastique, qui, depuis qu'une maladie l'avait maigri, ressemblait à un grand échalas, toisait nonchalamment son interlocuteur d'un air ironique, persuadé que ce dernier exagérait et prenait au tragique une innocente plaisanterie. Le meunier, sur le ton inaudible d'une personne qui grommelle entre ses dents, murmura: «J'abhorre le souris que tu arbores, calotin! Tu mériterais que je te donnasse une fameuse calotte, ou que je te chassasse d'ici à coups de gaule!» C'est que ce meunier était un homme très susceptible et très irascible. Toutefois, s'il était prompt à s'irriter, ses colères n'étaient jamais bien longues, et il savait toujours se maîtriser. Aussi, lorsque l'abbé lui demanda: «Mais que grommelez-vous donc, cher ami?» il s'écria avec bonhomie: «Mais rien du tout! Je pensais simplement qu'un délicieux bœuf miroton accompagné de cervelas à la vinaigrette nous attend depuis une heure déjà, et qu'il sera bientôt froid si nous tardons davantage.»

73

UNE REQUÊTE EMBARRASSANTE

Les muezzins, du haut des minarets, appelaient les fidèles à la prière, et ceux-ci accouraient déjà en grand nombre, dirigés par les muftis[1], les mollahs et les ayatollahs, lorsque se produisit un événement bizarre, insolite, inouï, et féerique. Une lumière, d'un éclat insoutenable, luisit subitement au zénith, projetant dans tous les azimuts une clarté quasi surnaturelle, très différente de celle qu'émet le soleil, à cause de sa couleur d'un blanc rougeâtre, analogue à celle du bismuth. Un journaliste qui était sur les lieux crut avoir bu trop de vermouth[2] et se promit de ne plus jamais prendre que de la limonade ou de la citronnade. Quant à la foule, trop surprise encore pour céder à la panique, mais trop curieuse pour ne pas observer le phénomène, elle demeurait figée sur place, laissant s'époumoner en vain les muezzins qui feignaient de ne rien voir. Voire, peut-être ne voyaient-ils vraiment rien, trop absorbés par leur tâche. Quoi qu'il en soit, feinte ou réelle, cette cécité ne put durer bien longtemps, et il leur fallut vite s'interrompre, car la lumière fut bientôt accompagnée d'un sifflement suraigu qui couvrit complètement le son des voix, ce qui les obligea à prendre conscience de ce qui se passait. Le plus surprenant cependant restait à venir: au milieu d'un vrombissement infernal, une soucoupe volante atterrit sur la place, et un groupe de Martiens verdâtres, dont la peau était couverte de verrucosités des plus repoussantes, sortit des écoutilles — ou plutôt des sas — de l'imposant aéronef. Le chef de la troupe, au moyen d'un langage gestuel qui n'était pas trop abscons ni trop abstrus, demanda qu'on leur apportât à boire. Les mollahs furent bien embarrassés: c'est qu'on était en plein ramadan, et que le jeûne le plus strict était de rigueur. Mais comment expliquer la chose aux visiteurs?

---

1. Ou «muphtis».
2. Ou «vermout».

74

UN HYMEN SOLENNEL

Le maire, ayant ceint son écharpe, apposa son seing sur le document. La cérémonie n'avait pas duré cinq minutes. Le grand-père de la mariée, encore très sain d'esprit bien qu'il eût plus de quatre-vingt-dix ans, serra celle-ci contre son sein. Le marié s'écria: «Hâtons-nous d'aller à l'église. Mon oncle pourrait s'impatienter. Il ne faut pas faire attendre ce saint chanoine.» Ce dernier était en effet un homme en vue, très occupé par ses fonctions, et qui possédait en commende le bénéfice d'une importante abbaye. C'était uniquement grâce à sa recommandation que le neveu, personnage assez médiocre et totalement incompétent, avait pu obtenir un emploi dans un ministère. L'extrême déférence du jeune marié à l'égard de son oncle ne s'expliquait pas autrement.

Les deux époux se dirigèrent donc vers la chapelle, accompagnés d'une troupe immense de parents, d'amis, ou même de simple coreligionnaires que la curiosité poussait à assister à cet événement mondain. L'église se révéla d'ailleurs trop exiguë pour accueillir tous ces gens-là, et l'excédent des curieux dut rester sur le parvis. La famille trouvait que ces étrangers étaient bien excédants, mais le marié, jeune fat très vaniteux, se réjouissait au contraire de leur présence. Le célébrant s'était fait accompagner de quelques profès venus de son abbaye, ainsi que d'un petit groupe de séminaristes — c'est-à-dire de futurs ordinands, qui n'avaient pas encore été ordonnés par l'ordinateur, ou, si l'on veut, par l'ordinant — qui l'assisteraient dans le chœur et à l'autel pendant l'office. Le prône, que le chanoine prononça *ex cathedra* (soit du haut de la chaire) fut un chef-d'œuvre d'éloquence, qui accrût beaucoup la réputation déjà considérable dont jouissait l'ecclésiastique. En somme, l'hyménée fut des plus réussis, et satisfit toutes les ambitions du jeune marié.

75

LE SORT DES VIEUX LIVRES

Pour la dixième fois au moins, le savant professeur Martin feuilletait les quelques dizaines de pages des quelque dix opuscules jaunis qu'il avait placés sur son pupitre. Ces livres étaient de ceux que l'homme ordinaire ne feuillette que rarement, même s'il peut arriver qu'il les achète pour décorer sa bibliothèque; en somme, il s'agissait de ces livres qui font le désespoir des éditeurs, lesquels le plus souvent sont obligés de les envoyer au pilon pour qu'on les déchiquette et qu'on les broie. Nul n'aurait pu s'étonner cependant qu'un érudit aussi sérieux que le professeur Martin furetât dans des ouvrages de ce genre, car des gens comme lui n'y furètent jamais sans y faire d'intéressantes découvertes. Ces livres extrêmement rares, il les avait trouvés au fond de l'échoppe d'un bouquiniste de ses amis, qui possédait un assez bon fonds de librairie. Les œuvres en question étaient des éditions critiques, datant du dix-neuvième siècle, de poèmes médiévaux: on y trouvait par exemple des fatrasies, des lais, des virelais, des rondeaux, etc. Malheureusement, les livres avaient subi les injures du temps, et ils étaient abîmés. En bien des endroits, le texte était devenu complètement illisible, et c'était une vraie gageure que de tâcher de le reconstituer. En revanche, certaines pages étaient curieusement demeurées absolument intactes, et étaient même si peu froissées ou tachées que l'on pouvait encore distinguer parfaitement les filigranes et les vergeures de papier. Le vieillissement toutefois n'expliquait pas entièrement l'état pitoyable dans lequel se trouvaient les livres, car si l'on en eût pris soin, ils n'eussent pas été si endommagés. Sans aucun doute, leur précédent possesseur avait fait preuve d'une excessive, et même d'une coupable négligence. Hélas, de tels crimes ne sont pas punis par les lois.

76

UN NAÏF

Un iconographe, spécialiste de l'art iconique, s'était acheté une admirable icône byzantine en forme de diptyque. L'œuvre était d'autant plus curieuse qu'une sorte de monticule conique (ou plus exactement, ayant l'apparence d'un cône un peu aplati) y était représenté dans celui des arrière-plans qui était le plus éloigné de la figure du saint qui occupait le premier plan. Un tel détail, dans une icône de cette époque, était passablement inusité, et même inhabituel. C'était du moins l'avis du spécialiste, un avis que l'on peut dire autorisé, car celui qui l'émettait possédait un diplôme en histoire de l'art. L'œuvre pouvait donc avoir une grande valeur marchande, et enrichir par conséquent d'une façon considérable l'iconographe (qui l'avait obtenue à un prix dérisoire), à condition évidemment qu'il sût faire preuve d'assez d'habileté pour convaincre un riche acheteur. Il décida donc de consulter un diplomate dont il connaissait les goûts de collectionneur. Ce dernier était un homme très original. Il avait fait, par exemple, de nombreuses expéditions dans les régions polaires, et notamment au pôle austral ou antarctique (lequel est moins fréquenté que le pôle boréal). Ses principales qualités cependant étaient, d'une part, sa connaissance approfondie des milieux artistiques et, d'autre part, son flegme et son sang-froid (à cause duquel un de ses amis lui avait décerné l'épithète de poïkilotherme, ou de pœcilotherme). Avec de tels dons, on conçoit qu'il était redoutable dans les ventes aux enchères. C'était en quelque sorte l'homme idéal pour s'occuper de l'icône qu'avait dénichée l'iconographe. Hélas! ce diplomate était trop habile pour le savant: il fit une moue, se montra peu empressé, voire dégoûté, déclara qu'il n'avait pas le temps d'organiser une vente, qu'un enchifrènement tenace l'obligeait à rester chez lui. Puis il consentit à acheter l'image pour deux fois moins qu'elle n'avait coûté à l'iconographe, lequel, enjôlé, se laissa piéger. Le lendemain, le pauvre homme apprit par les journaux que le diplomate était subitement devenu millionnaire.

77

UN CHASSEUR DE PAPILLONS

Les commères papotaient dans la gargote, fuyant le soleil torride du début de l'après-midi. La rivière, tout près de là, coulait paisiblement parmi les laîches[1]. Les gardénias qu'on avait plantés depuis peu dans le jardin répandaient un parfum suave. Toute la nature verdoyait, et ce verdoiement était si vif qu'il en était presque insoutenable. Assis dans la véranda d'une antique cabane — d'aucuns diraient une cahute, ou une hutte, tant cette habitation était rudimentaire — un vieillard maigrelet (ou maigriot, comme on voudra) savourait un petit vin verdelet. En somme, nul ne se risquait à quitter les refuges ombreux pour s'aventurer sur la place du village, sur les routes cahoteuses, dans les prés ou sur la berge. Seul un touriste passionné d'entomologie faisait exception à cette règle générale. Armé d'un filet à papillons, il courait par-ci, par-là, sautillait de-ci, de-là, allait deçà, delà, suivant un itinéraire désordonné et chaotique. Bien que les habitants du village ne s'en doutassent nullement, il s'agissait en fait d'un spécialiste particulièrement expérimenté. Il avait chassé les papillons dans toutes les régions du globe, y compris les plus reculées, les plus étranges ou les plus inattendues. Ainsi, on l'avait vu avec son filet aussi bien dans les Pyrénées qu'au cœur de Manhattan (l'histoire ne dit pas quels insectes il y attrapa), de même que dans l'isthme de Corinthe. Quoi qu'il en soit, et quoiqu'il fût fort aimable, les villageois le voyaient d'un mauvais œil, car il piétinait les pelouses sans retenue. Aussi, par vengeance, la patronne de la gargote, qui n'avait pourtant pas l'habitude de faire preuve de négligence, mettait toujours deux fois plus de sel qu'il n'eût fallu dans les oignonades qu'elle lui servait.

---

1. Ou «laiches».

78

UNE BELLE MAISON

Il n'eût pas fallu que le jeune héritier naquît avant
que son père n'acquît un château, mais bien après
qu'il l'eut acquis, s'il eût voulu profiter pleinement,
dès son plus jeune âge, du confort et de l'agrément
que la richesse peut apporter. Mais ce sont là des
choses auxquelles les bébés, en naissant, ne songent
guère. Il est vrai toutefois que l'enfant n'avait pas
encore atteint sa troisième année à l'époque où ses
parents acquéraient le susdit manoir, et qu'ainsi il
n'eut aucun souvenir de la période de sa vie anté-
rieure au moment où ses géniteurs acquirent cette
demeure. De celle-ci, on peut dire, pastichant la
célèbre litote cornélienne, que le rejeton ne la haït
point, ce qui réjouit les parents (lesquels, cependant,
ne se fussent probablement pas émus s'il l'eût haïe).

En effet, pour qu'un marmot haït une telle maison, il faudrait qu'il fût complètement anormal, car elle constituait un terrain de jeux inouï. De la fenêtre de sa chambre, le marmouset pouvait apercevoir, dans une herbue[1], au-delà du parc, un bœuf qui paissait en paix (et qui paît sans doute encore, s'il ne gît pas sous terre). S'il ouvrait la croisée, il pouvait ouïr le gazouillis des oiseaux, qu'il n'oyait d'ailleurs jamais sans ressentir une joie profonde, en raison de son extrême sensibilité. «J'orrais cette divine musique pendant des heures sans me lasser» avait-il coutume de dire à sa mère, qui approuvait hautement ce passe-temps poétique, qui la dispensait de le surveiller et lui permettait de se consacrer pleinement à l'étude des langues finno-ougriennes et ouralo-altaïques. Parfois une servante venait apporter à l'enfant une assiette de petits-beurre. En somme, l'existence, dans cette merveilleuse demeure, avait véritablement quelque chose d'idyllique, et était comparable à un perpétuel âge d'or.

1. Ou «erbue».

79

UNE LEÇON DE MORALE

Il faut être ingénument et naïvement égoïste, il faut être indûment et incongrûment atteint d'une folie teintée d'ingénuité, pour croire candidement à l'altruisme d'autrui. Pour dire la chose nuement[1] et crûment, les gens qui agissent ainsi font preuve de bêtise, et rien n'excuse l'incongruité de leur conduite. Certes, aux yeux des personnes ayant assidûment fréquenté la société, ces quelques maximes, ces quelques apophtegmes apparaîtront comme de simples truismes, comme de vulgaires lapalissades (c'est-à-dire des vérités de La Palice[2]). Toutefois, il est bon de les répéter, car trop souvent on a vu des individus résolument décidés à faire preuve de hardiesse qui se sont vu accabler par les malheurs pour s'en être moqués trop hardiment et trop éperdument, et qui s'en sont éternellement voulu par la suite. Trop de gens se sont nui pour n'avoir pas suivi des préceptes qu'ils avaient regardés à tort comme des superfluités. C'est donc un conseil franc, simple et non ambigu que nous vous donnons. Autrement dit, pour parler moins ambigument, ce serait se fourvoyer grandement que de supposer que nous avons voulu mêler une quelconque ambiguïté à nos propos, ou que nous y avons dissimulé des menaces voilées. L'aurions-nous souhaité, d'ailleurs, que l'exiguïté de l'espace qui nous était imparti nous aurait empêché de mettre ces desseins à exécution. Si tout ce que nous venons de dire ne vous convainc pas, si vous vous refusez à pratiquer la prudence avec assiduité, nous ne pouvons alors rien faire d'autre que d'espérer qu'il ne vous en cuira point, et que de prier pour que vos actions téméraires et irréfléchies n'aient que des conséquences d'une parfaite innocuité, c'est-à-dire dépourvues de nocivité.

---

1. Ou «nûment».
2. Ou «La Palisse».

80

UN COURS ENNUYEUX

Le professeur de biologie était en chaire, et il s'adressait à ses étudiants. «Les micropyles, que vous avez vus sur la diapositive précédente, leur disait-il, sont de petits orifices dans les téguments des ovules des végétaux phanérogames (que l'on appelle encore les spermatophytes ou spermaphytes, et qui comprennent par exemple les angiospermes et les gymnospermes, comme le pin, l'if, le ginkgo, etc.). Ces micropyles permettent la fécondation. C'est par eux en effet que le tube pollinique peut pénétrer jusqu'à la nucelle...» À ce moment précis, l'auditoire, qui jusque-là dormait profondément, fut subitement tiré de sa torpeur, de son assoupissement, de son alanguissement, par une assourdissante déflagration. Un cancre, assis au dernier rang de l'amphithéâtre, venait de faire exploser un pétard. Le pet-de-loup, tout décontenancé, s'interrompit aussitôt. Passé les premiers instants de stupeur muette, un indescriptible brouhaha se fit entendre. Des éclats de rire (ou des ris, comme on disait autrefois), des huées, des sifflets fusèrent de partout, et un chahut bordélique se déchaîna. En quelques secondes, la classe était devenue une véritable pétaudière. Chaque étudiant profitait de cette récréation inespérée pour se décharger de son trop-plein d'énergie et pour se venger des frustrations accumulées depuis le début de l'année scolaire. En effet, les examens approchant, la tension qui pesait sur les jeunes gens était presque intenable. Sans grande conviction, le professeur essayait de rétablir l'ordre, en criant à intervalles réguliers, d'une voix chevrotante: «Halte-là!» Nul ne l'écoutait. Comprenant que le cours était décidément gâché, il quitta la classe sans demander son reste.

81

DE MÉDIOCRES PÊCHEURS

Le landgrave était venu au ruisseau en landaulet, uniquement accompagné d'un cousin rhénan, lequel était rhingrave, comme il se doit, et avait quitté son rhingraviat en grand-hâte[1] pour l'occasion. Les deux compères avaient en effet résolu de pêcher le lançon. Hélas! ils ne s'étaient pas avisés que ce poisson (encore appelé équille ou anguille de sable, et appartenant à la famille des ammodytidés) ne vivait pas dans l'eau douce, mais bien plutôt dans les sables littoraux. Les deux bonshommes avaient beau pêcher tant qu'ils pouvaient, rien ne mordait, et pour cause. Le rhingrave, qui ne craignait ni Dieu ni diable, et péchait sans jamais venir à résipiscence, lança quelques blasphèmes (trop grossiers pour être reproduits ici) pour bien exprimer son impatience.

Le landgrave, moins volubile mais plus belliqueux, déclara que blasphémer ne donnait rien, et qu'il valait mieux songer à employer les grands moyens. Il parla de se procurer sur-le-champ un lance-bombes, un lance-flammes, un lance-torpilles, un lance-roquettes, un lance-grenades, un lance-fusées. Son cousin prétendit que ces engins étaient inutiles, et que nul n'avait coutume de les employer, fût-ce pour pêcher à la dynamite (ce que les deux nobles ne se fussent d'ailleurs pas permis). Passé quelques instants, et une fois calmée sa fureur, le landgrave reconnut ses torts. Sortant de sa poche un stylographe laqué, il rédigea une courte missive qu'il fit porter par un de ses laquais. Il s'agissait d'une convocation urgente adressée au commandant de la landwehr. «Avec une centaine de lansquenets pour nous aider, ajouta-t-il, nous sommes sûrs d'attraper tous les lançons de ce ruisseau!

— Baste! fit l'autre, nous nous serions bien débrouillés sans eux. Il suffit que nous prenions une barque et que nous pagayions jusqu'au milieu de l'eau. C'est là que se terrent nos poissons!»

---

1. Cf. note 1, p. 60.

82

UN COLONEL À LA PLAGE

Le vieux colonel avait enlevé ses godillots et marchait nu-pieds sur la plage. Un gamin à demi nu, non loin de là, pataugeait dans un petit ruisselet qui se jetait dans la mer. Il tenait en main un haveneau et prétendait vouloir pêcher des gammares qu'il disait avoir aperçus peu de temps auparavant. Il n'en avait guère attrapé, car il semblait en fait beaucoup plus soucieux d'éclabousser les flâneurs que de capturer des crustacés. L'officier, s'étant imprudemment approché, fut incontinent mouillé des pieds à la tête. Le polisson s'esclaffa, pouffa comme il ne l'avait jamais fait. «Quel chenapan, rugit le colonel, quelle ganache, quel vaurien! Ce garnement, ce galopin est un véritable petit saligaud. Jamais n'aura-t-on vu un enfant si effronté.» Le militaire brandit alors vigoureusement l'antique alpenstock qui ne le quittait jamais, se préparant manifestement à bâtonner le fautif, c'est-à-dire à lui donner une sévère bastonnade. Le père du mouflet s'interposa alors vivement, disant que de telles choses ne se faisaient pas. Le colonel exigea qu'on lui payât son frac tout détrempé, menaça de faire un procès, s'emporta davantage. Le père tâcha de le calmer: «Toute autre personne que vous, lui dit-il, se serait ri d'un incident si peu important, et se serait même réjouie d'une si amusante espièglerie. Pourquoi votre réaction est-elle donc tout autre? Tout infinie que soit ma bonne volonté, je ne puis que désapprouver votre attitude, qui me semble toute pétrie, tout imprégnée de mauvaise foi. De toute évidence, vous êtes un homme excessivement irascible, abusivement coléreux, et même atrabilaire, pour ne pas dire bilieux. Je vous conseille le calme: à votre âge, de pareilles émotions pourraient vous être fatales.» Tous ces discours ne firent qu'accroître la colère du colonel, qui, incapable d'en supporter plus, finit par assommer violemment le père de famille en même temps que son bambin.

83

UN VOYAGE DU KAISER

Le kaiser avait entrepris de visiter ses colonies. Vêtu d'une tenue kaki et coiffé d'un casque grisâtre, il s'était dirigé, sitôt que le paquebot eut accosté et eut pris place parmi les cargos amarrés le long du quai, vers le vice-roi venu l'attendre en grande pompe, en compagnie de deux vice-amiraux et de trois feld-maréchaux. Des fantassins, commandés par des feldwebels arrogants, formaient une haie d'honneur impressionnante. Dès qu'ils aperçurent l'empereur, ils se mirent au garde-à-vous.

De nombreuses distractions avaient été prévues pour délasser l'auguste monarque. Ainsi, on lui fit visiter une magnifique cacaoyère. Le kaiser se déclara enchanté et fasciné par le spectacle de la flore et de la faune des régions tropicales. Les cacatoès[1] et les papegais le charmèrent énormément. On lui fit goûter des papayes qu'il trouva succulentes. On lui fit admirer des paons, des paonnes et des paonneaux. On l'invita même à participer à un safari, un safari à la papa, bien entendu, où l'on prit tant de précautions que l'on ne tua pas grand-chose (sinon le lion apprivoisé du vice-roi, qu'on mit exprès sur le chemin du kaiser pour qu'il servît d'exutoire à la vanité impériale). En somme, l'empereur fut ravi, conquis, séduit.

Sa pérégrination cependant ne pouvait pas être tout entière consacrée à de tels divertissements. Il lui fallait en effet rencontrer les notables de la région, ce qui n'avait rien d'affriolant, et n'affriandait ni n'alléchait le monarque. Pour que la souffrance fût plus courte, on décida de donner un gala, ce qui lui permit de les voir tous en même temps. On lui présenta donc des bigotes falotes et des cagotes un peu sottes (auxquelles il fit l'aumône d'une somme rondelette qui grossit la cagnotte de leur association de bienfaisance) ainsi que des athlètes pompettes et des préfètes stupéfaites de l'honneur que le kaiser faisait à de simples sujettes.

---

1. Ou «kakatoès».

84

UNE SCÈNE DE LA VIE RURALE

Les bûcherons charroyaient une charretée de troncs d'arbres sur un petit éfourceau, c'est-à-dire un chariot à deux roues. Il était encore de bonne heure, aussi y avait-il peu de monde sur le chemin de charroi. Des orfraies et des effraies voletaient autour des travailleurs. «Qu'elles volettent un peu plus près, dit l'un d'entre eux en saisissant son fusil, et elles ne voletteront plus jamais.» Scandalisés au plus haut point par l'agressivité, par le manque d'aménité, par le ton si peu amène des paroles qu'ils venaient d'entendre, les volatiles s'éloignèrent en maugréant, en râlant, en rouspétant, et en jetant des regards courroucés d'une férocité plus aiguë que celle qu'on prêterait à un rhinocéros psychopathe. Le contre-maître qui dirigeait les bûcherons, faisant taire les vociférations vengeresses de ses subordonnés, dit alors d'un ton ferme: «Allons, l'incident est clos, et quand vous ne voudriez que je le close, je le clorais tout de même. Il faut que nous nous hâtions d'arriver au village si nous voulons vendre notre bois à la foire hebdomadaire.» Le village en question était sis dans une région côtière, et servait par conséquent de lieu de rencontre non seulement aux travailleurs de la forêt, mais aussi aux pêcheurs, aux cultivateurs, aux commerçants et aux marchands de tout acabit. Ainsi, de nombreux pêcheurs étaient venus à la foire, et l'on pouvait voir leurs cotres amarrés le long du môle. Une grande place, au milieu du village, était l'endroit ad hoc pour tenir de telles rencontres. Les étals y avaient déjà été dressés. Tandis que les bûcherons installaient dans un coin leur encombrante marchandise, le contremaître entreprit de négocier l'achat d'une importante quantité de ce poisson que l'on appelle aiglefin[1], ou encore haddock lorsqu'il est fumé. Il fallait en effet songer à renouveler les provisions du camp, qui commençaient à s'épuiser.

---

1. Ou «églefin».

85

DES CAMPEURS AMATEURS

Les campeurs, assaillis par les insectes, décidèrent d'allumer un feu. Ayant rassemblé quelques bûches, ils s'apprêtaient à embraser un ligot (c'est-à-dire un petit fagot de bûchettes enduites de résine), lorsqu'ils se rendirent compte que le bois qu'ils avaient ramassé était infesté d'insectes lignicoles. Si les jeunes gens s'étaient imaginé pouvoir passer plusieurs jours en forêt sans avoir affaire à ces antipathiques petits animaux — d'aucuns diraient des animalcules — ils s'étaient tout à fait trompés. Sans aucun doute, ils se seraient formé de la vie sauvage une image complètement fausse, péchant par excès d'optimisme, une image en somme utopique et idyllique, à moins qu'ils ne se soient tout simplement trop bien assimilé les enseignements d'un manuel faisant de la nature un éloge dithyrambique, et par conséquent biaisé. Tout le problème au fond venait de ce qu'ils ne s'étaient pas assimilés à la forêt, de ce qu'ils ne s'étaient pas rendus semblables à ceux que l'on appelle des «primitifs», justement parce qu'ils ont conservé intacte la faculté de communier avec leur environnement. Nos jeunes campeurs, se croyant menacés par des hordes d'insectes hostiles, étaient donc au comble du désespoir et ne savaient à quel saint se vouer. L'un d'entre eux se plaignit d'un ton geignard que ses iles étaient boursouflés à cause des piqûres qu'il y avait reçues. Le chef du groupe, qui tâchait de se montrer détaché pour rassurer les autres, déclara qu'il était absolument normal qu'on fût davantage incommodé par les insectes lorsqu'on campait sur la berge d'une île plutôt que sur la terre ferme. Enfin, voyant que le feu ne suffisait pas à résoudre le problème, il ordonna qu'on suspendît aux branches des arbres quelques couvertures, pour qu'elles servissent de moustiquaires improvisées. On eut du mal à les accrocher, mais on finit par y parvenir en les nouant avec une ligne-rolle. Hélas! ce dispositif cocasse et aberrant n'eut aucune efficacité.

86

LES PROBLÈMES D'UN ERMITE

L'ascète n'était pas dans son assiette. Bien qu'il fût rompu aux macérations les plus âpres, bien qu'il eût l'habitude de porter la haire et le cilice, bien qu'il eût coutume de se donner la discipline, il ne pouvait curieusement supporter la moindre douleur physique, s'il ne se l'était pas infligée de lui-même, délibérément. Or, le pauvre homme s'était justement coupé la main avec une assette (c'est-à-dire un asseau) grâce à laquelle (ou auquel) il taillait des ardoises dont il voulait couvrir le toit de sa cahute. C'est en livrant un furieux assaut à l'une de ces pierres schisteuses, qui, mystérieusement, était quasi insécable, qu'il s'était fait cette blessure aussi douloureuse que contrariante. Ainsi, tous les travaux du sage anachorète se trouvèrent retardés, ce qui compromit beaucoup sa survie, attendu qu'il en tirait l'essentiel de ses moyens de subsistance. Il ne put par exemple achever un échiquier en calambour qui lui avait été commandé par une riche dévote (le calambour dont il est ici question est le bois d'aloès utilisé en tabletterie, qu'on appelle encore calambac, et qui n'a rien à voir avec les calembours, qui sont des jeux de mots analogues aux contrepèteries). Cette malheureuse histoire, sans conteste et sans contredit, confirme de façon éclatante la judicieuse observation d'un archimandrite syriaque, réputé pour la sagesse de ses maximes, qui soutenait que la vie érémitique avait des inconvénients dont les laïcs[1] ne peuvent se faire la moindre idée, fût-elle approximative. C'est que les aspects de la vie monacale qui répugnent le plus aux gens du monde sont souvent ceux qui apparaissent légers ou insignifiants aux yeux des moines eux-mêmes, tandis que leurs véritables problèmes peuvent à peine être imaginés par ceux qui n'en ont jamais fait l'expérience et qui ne les ont jamais connus.

---

1. Ou «laïques».

87

UN MÉDECIN DANS LA BROUSSE

La plaie suppurait abondamment. Inquiet, le médecin examina avec attention le pus ichoreux, sans parvenir à déterminer la nature du facteur pyogène. «Je crains fort, dit-il au blessé, de ne pouvoir arrêter la pyorrhée. Dans cette jungle, nous manquons désespérément de médicaments, jusques et y compris[1] les antiseptiques les plus courants — comme si l'antisepsie pouvait être un luxe!» Le médecin, faute de mieux, décida alors qu'il se contenterait de panser sommairement la blessure. Ouvrant sa pharmacie pour y chercher de la gaze ou du taffetas, il s'aperçut toutefois avec consternation qu'il ne lui en restait plus du tout. Très gêné par ce nouveau contretemps, il invita son patient à sacrifier le foulard en surah dont il ceignait sa tête, comme il eût fait d'un bandeau. C'était, ajouta l'homme de l'art, la seule étoffe disponible capable de fournir un pansement convenable. Le patient s'impatienta, mais finit par consentir. Le médecin couvrit donc la blessure et l'enveloppa complètement avec le morceau de tissu, sans prendre le risque de la laver. L'eau, en effet, contaminée par d'innombrables micro-organismes, n'eût pu qu'aggraver l'infection déjà sérieuse. Certes, le médecin n'avait pas fait grand-chose, mais, à tout le moins, le bandage qu'il avait posé empêcherait les insectes, et notamment les pyrrhocores qui pullulaient dans la région, de s'agglutiner sur la plaie, ce qui n'en eût pas facilité la guérison. Le blessé comprenait la situation, mais il eût tout de même apprécié qu'on s'occupât davantage de lui. Il se plaignit, disant qu'il se sentait faible et qu'il souffrait beaucoup. «C'est la fièvre, répondit le docteur. Peut-être puis-je faire quelque chose contre cela. Je crois qu'il me reste quelques aspirines.» Le médecin ouvrit une sorte de pyxide qui était dissimulée au fond de la pharmacie. Mais c'était peine perdue, évidemment: il n'y avait plus une seule aspirine...

---

1. Dans cette expression figée, «jusques» s'écrit obligatoirement avec «s». Il faut faire la liaison.

88

UNE TRAGÉDIE

Le mathématicien tâchait de résoudre un problème de géométrie vectorielle d'une extrême difficulté. Il serait trop fastidieux de décrire ici in extenso le thème des réflexions et des cogitations du savant; disons donc simplement qu'il s'efforçait de démontrer l'équipollence de deux bipoints. Ce travail était si ardu que le visage du pauvre homme en blêmissait d'une façon inquiétante. On eût dit qu'il se flétrissait comme une fleur délicate dans un désert. Sa bouche tordue n'était plus qu'une ligne flexueuse, vaguement sinusoïdale, et ses yeux étaient exorbités. «Il faut que je m'arrête, se dit-il enfin, avant d'être complètement siphonné. Je vais ajourner mes travaux sine die, et boire un de ces petits vins frais que je garde dans ma cave.» Hélas! le mathématicien ne pouvait pas deviner tous les malheurs que son si raisonnable dessein allait entraîner. Tout d'abord, en descendant l'escalier, il se heurta le sinciput (à ne pas confondre avec l'occiput) à une sorte de poutre ou de madrier. Voulant se défouler, il entreprit sur-le-champ de l'arracher avec un pied-de-biche. Cet accès de colère, ce mouvement d'ire eut des conséquences fâcheuses. La moitié du plafond s'écroula, obstruant l'escalier. Le savant eut à peine le temps de se réfugier dans le sous-sol. Il eut alors le choc de sa vie: sur le plancher, en effet, se promenait un monstrueux blaps. Le mathématicien n'était pas exactement ce qu'on peut appeler un entomophile[1], et l'on peut même dire qu'il était atteint de zoophobie. Il se mit donc à pousser des hurlements stridents. L'autre moitié du plafond, déjà sérieusement ébranlée, se mit à vaciller. Des plâtras et des gravats commencèrent à tomber. Les bouteilles que contenait la cave furent fracassées. Le mathématicien se retrouva à l'hôpital. Quant au blaps, on suppose qu'il mourut dans la catastrophe.

---

1. Certains dictionnaires anciens donnent à ce mot le sens d'amateur, de collectionneur d'insectes.

89

COMMENT MAÎTRISER UN FOU

Le physicien surveillait attentivement le cadran de son fluxmètre, lorsqu'il fut distrait par une douleur aussi violente que subite. «Diable! se dit-il, moi qui pensais que ma fluxion de poitrine était complètement guérie! Allons de ce pas fermer le vasistas. Le foehn[1] ne me vaut rien.» Dès qu'il fut à la fenêtre, il aperçut un vaurien, un va-nu-pieds, qui déambulait dans la cour d'honneur du majestueux bâtiment de la Faculté des sciences. Le gueux était d'une saleté repoussante, et il avait un faciès[2] simiesque. Il tenait en main une gigantesque foène[3] qu'il brandissait avec hargne. Le savant le héla. L'hurluberlu sembla pétrifié par la surprise. Il se frotta les yeux pour regarder l'homme de science[4], comme s'il craignait d'avoir la berlue. Il entama alors un discours incohérent, qu'il ponctuait de gestes incongrus. Le savant haussa les épaules et se dit: «Je ne vais pas écouter bêtifier ce fol pendant toute la journée. Fermons la fenêtre et appelons un psychiatre. Peut-être saura-t-il apaiser la foucade de ce malheureux.» Le bureau voisin était justement occupé par un célèbre psychanalyste. C'était un chercheur très compétent, bien que certains collègues à l'esprit novateur pussent lui reprocher d'idolâtrer trop superstitieusement les œuvres de Freud et de Lacan. Le physicien le trouva en train de manger une fouace (c'est-à-dire une fougasse). Il lui expliqua succinctement la situation. «Tout d'abord, dit l'alié-niste, ne nous affolons pas.» Sortant alors un pisto-let, il ajouta: «J'ai ici un petit gadget formosan des plus efficaces qui le calmera prestement. Une fois qu'il sera ainsi maîtrisé, il sera facile d'étudier son cas. Le soporifique que j'emploie, en effet, l'immo-bilisera sans l'endormir tout à fait.

—Et si cela ne suffisait pas, s'inquiéta le physicien, que se passera-t-il?

—Eh bien, nous lui donnerons quelques torgnoles!»

---

1. Ou «föhn».
2. L'orthographe «facies» ne s'emploie en général que dans l'acception scientifique du mot.
3. Ou «foëne», ou «fouëne».
4. On écrit aussi: «homme de sciences».

90

UN ÉTRANGER CRÉDULE

Le rastaquouère était furieux lorsqu'il sortit du casino, car on lui avait ratiboisé une somme considérable. Il n'avait plus aucune envie de se rendre au rastel où on l'avait convié. Même la perspective de goûter enfin une authentique ratatouille niçoise ne lui souriait plus. Quand on connaît la gourmandise du bonhomme, on mesure l'ampleur de la colère qu'il éprouva. Toutefois, comme son humeur était passablement versatile, il se trouva complètement rasséréné le lendemain matin. Un de ses amis, heureux de lui voir une mine si sereine, l'invita à venir chasser avec lui. «Irons-nous courre le cerf ou l'orignac?» demanda le rasta avec son invraisemblable accent de métèque. «Certes non, répondit l'autre, car nous n'en trouverons guère par ici. Nous serons fort chanceux si nous dénichons un ratel ou même seulement un casoar.» L'étranger ne comprit pas que son ami se moquait de lui, et il crut très sincèrement qu'il était parfaitement naturel de trouver des animaux exotiques dans les régions tempérées. À vrai dire, il ignorait même que le ratel était une sorte de blaireau africain et que le casoar était un oiseau australien. Surpris d'une telle ignorance et d'une telle naïveté, l'ami décida d'en abuser, non pas par méchanceté, mais plutôt pour satisfaire son goût prononcé pour la plaisanterie. Aussi déclara-t-il d'un ton péremptoire: «Il faudra que nous fassions attention aux nombreux troupeaux de dinosaures ou de ouistitis. Je vous recommande la prudence et la vigilance.» L'étranger, qui ignorait la signification de ces mots, fit mine d'approuver le conseil de son ami, tout en admirant intérieurement l'érudition cynégétique dont ce dernier faisait preuve, et en déplorant sa propre inexpérience. Tout au plus eut-il quelques soupçons quand l'ami prétendit lui montrer les traces d'un éléphanteau, mais l'autre était si sûr de lui qu'il n'osa pas le contredire.

91

UNE BONNE AFFAIRE

Le célèbre journaliste Athanase Robert avait été obligé d'interrompre l'enquête qu'il menait depuis longtemps sur le trafic on ne peut plus louche auquel se livraient d'audacieux receleurs, qui vendaient à de vils mais richissimes collectionneurs des fossiles de pithécanthropes et de néandertaliens que des complices avaient volés dans des muséums d'histoire naturelle. Le malheureux gazetier avait en effet été atteint d'une maladie pithiatique qui l'empêchait de vaquer à ses occupations habituelles. Un hypnotiseur avait été mandé par la famille, et quoique son pronostic fût dans l'ensemble assez optimiste, il n'espérait pas de guérison complète avant plusieurs mois. Le directeur du journal, Hippolyte Durand, était un homme bon et compréhensif. Il traitait toujours ses subordonnés avec humanité, et n'avait pas oublié qu'Athanase lui avait rendu de grands services autrefois, alors qu'ils étaient tous deux de simples propédeutes. Aussi décida-t-il de ne pas congédier le journaliste, mais bien de lui confier un petit travail n'exigeant aucun effort intellectuel, pour qu'il pût continuer à faire vivre sa famille. En l'occurrence, il lui demanda de massicoter les épreuves du journal après leur sortie de l'atelier d'imprimerie. Cela n'avait rien d'excitant, et, pour un homme aussi compétent qu'Athanase Robert, c'était même franchement humiliant. Toutefois, comme sa maladie le privait de son jugement (au point qu'il n'eût pu distinguer un obélisque d'un mastaba), il accepta ce poste avec joie et accueillit la nouvelle de son transfèrement, lorsqu'elle lui parvint, avec de véritables transports d'enthousiasme. Le directeur fut très content: il eut l'impression d'accomplir une action charitable, tout en économisant beaucoup d'argent, car le salaire d'un imprimeur était bien plus chiche que celui d'un journaliste.

92

UNE VISION APOCALYPTIQUE

Le kolkhozien, bien qu'il n'eût rien d'un koulak et bien qu'il fût même très pauvre, était incapable de garder en poche quelques kopecks sans avoir une furieuse envie de les dépenser. Aussi était-il allé ce soir-là, comme il en avait l'habitude, dans un petit débit de boissons que tenait un de ses poteaux, aussi ivrogne que lui. Il y consomma du kummel et y dégusta des lacryma-christi[1] (car, curieusement, il n'aimait pas la vodka). Sans doute abusa-t-il de ces alcools, car, sur le chemin du retour, il eut des hallucinations aussi nombreuses que surprenantes. Ainsi, il crut voir danser dans la campagne des kobolds et des korrigans. Plus loin, en traversant un petit pont, il s'imagina apercevoir au fond de l'eau un kraken à la mine menaçante. Jetant son regard sur une colline lointaine, il y découvrit un château fort res-plendissant, dont les tours étaient plus hautes que celles des anciens kraks[2] des Croisés, y compris l'imposant krak de Montréal[3]. Le pauvre homme fut littéralement terrifié, et ne savait que faire, ni à qui demander conseil. Les manifestations surnaturelles auxquelles il venait d'assister, en effet, étaient par trop contraires à la doctrine marxiste-léniniste pour qu'il osât en parler au commissaire politique local. Il eut alors l'idée de consulter un vieux pope qui vivait non loin de là. Le saint homme était déjà au lit, et il déclara, à travers la porte, qu'il n'avait pas envie de s'aventurer dans la steppe à une heure aussi indue pour pratiquer un exorcisme. Toutefois, comme il avait bon cœur et qu'il ressentait un peu de pitié pour le pauvre ilote, il lui recommanda de réciter des kyrie et des litanies, en lui assurant que ces prières, empruntées à la liturgie, étaient d'une redoutable efficacité contre les incubes, les suc-cubes, et toutes les autres puissances d'en bas.

---

1. Ou «lacrima-christi».
2. On écrit aussi, plus rarement, «crac».
3. En Palestine, au sud de la mer Morte.

93

UN CHASSEUR MALHEUREUX

Le chasseur essayait d'attraper des oiseaux avec des gluaux, lorsqu'une guêpe perfide, s'introduisant dans sa bouche, lui piqua le larynx avec une sauvage énergie. Le bonhomme poussa un hurlement qui ne s'apparentait en rien à la douceur mélodieuse du son d'un glockenspiel. Chacun sait en effet qu'il n'est rien de plus douloureux qu'une piqûre dans la région glottique. Il était urgent de consulter un médecin, mais, hélas! la contrée montagneuse dans laquelle s'était aventuré le chasseur était quasi désertique. Heureusement, ce dernier se souvint subitement qu'un de ses labadens, qui avait fait de solides études médicales, possédait un modeste mais confortable buron qui était sis dans un grau[1], à quelques minutes de marche à peine du lieu de l'incident. Dès lors il n'eut qu'une idée, rejoindre à tout prix, coûte que coûte, ce havre où on lui prodiguerait les soins dont il avait besoin. Sa déconvenue fut donc très grande lorsqu'il découvrit — ce qui n'avait en fait rien d'extraordinaire — que la cabane de son ami était vide. Surmontant son désappointement, ainsi que sa douleur, qui se faisait de plus en plus lancinante, il entreprit de rentrer chez lui. Comble de malchance, il se perdit dans la montagne. La nuit allait tomber, et il faisait déjà froid. Le chasseur eut alors le bonheur de croiser un montagnard. Il essaya de lui parler, mais s'aperçut que sa blessure le contraignait à une totale mutité. Le montagnard s'écria alors: «Révérence parler, Monsieur, vous ne devriez pas flâner par ici à une heure aussi tardive, rapport aux ours qui pourraient bien vous dévorer tout cru. Ces bestiaux-là, savez-vous, ont un furieux appétit.» À cette idée, le chasseur fondit en larmes: c'était plus qu'il n'en pouvait supporter. «Pauvre homme, pensa le paysan, il est complètement paf. Il vaut mieux que je me tire avant qu'il ne s'en prenne à moi. On n'est jamais assez prudent, avec des drôles de cette espèce!»

---

1. Le mot est pris ici au sens de «défilé», et non de «chenal».

94

UNE DISCUSSION SÉRIEUSE

«Je suis flapi, geignit le notaire. J'ai étudié ce contrat toute la matinée, et j'ai scruté une à une toutes les clauses y afférentes. Je n'en puis plus, je suis excédé.

—Nous ne vous payons pas à ne rien faire, répondit l'homme d'affaires, et les honoraires que nous vous donnons me semblent généreux, sinon excessifs. Dites-nous plutôt votre opinion sur cette question.

—Eh bien, je vous parlerai tout cru, c'est-à-dire crûment. Vos banquiers sont de vrais fesse-mathieux. Ils vous filouteront et vous n'y verrez que du feu. Croyez-moi, des finauds de cette espèce, des aigrefins pareils, on n'en vient pas facilement à bout. Vous vous y casserez les dents.

—Allons, que signifie cet affolement? Vous ne raisonniez pas si follement autrefois. Vous me croyez plus bonasse que je ne le suis. Je suis aussi sagace que ces gens-là, et quand je le veux, je finasse aussi bien que l'escroc le plus vorace. Comme le dit si justement ma femme, je suis un colosse du négoce.

—Mais enfin, croyez-vous qu'il soit sage de payer plus de deux cents millions pour un cromlech que le gouvernement n'a pas voulu protéger? Aucun touriste sensé ne s'intéressera jamais à ces vieilles pierres! Je n'en démords pas, on vous floue. Deux cent mille, ce serait un bon prix. Mais deux cents millions, c'est du vol, purement et simplement.

—Je crois que vous êtes décidément trop fatigué, vous n'avez plus toute votre tête. Votre défiance, à mon sens, ne s'explique pas autrement. Tenez, venez donc goûter chez moi. Une collation vous fera le plus grand bien. Ma femme a justement préparé des croquignoles, des profiteroles et des croquembouches. Nous y ajouterons un petit apéritif, si vous le voulez bien: il n'y a rien de tel pour élargir un débat et dissiper la suspicion.

—Impossible, cher ami. J'ai rendez-vous avec un industriel liégeois. Nous devons faire une partie de croquet.

95

UNE QUERELLE DE MÉNAGE

Des étoffes gorge-de-pigeon étaient empilées sur la table. Avec sa gouaille habituelle, le mari dit à sa femme: «Encore des dépenses inutiles! Je serai bientôt au bord de la faillite. Vous me mettez au désespoir, ma mie.

—Cela ne vaut pourtant pas un fifrelin. Avec l'argent que vous me donnez, si je ne cousais pas moi-même, je serais toujours vêtue comme une souillon, comme une vraie salisson, sauf votre respect.

—Ma foi, cela vaudrait mieux que de vous promener attifée comme une goton. Les oripeaux dont vous vous vêtez vous couvrent de ridicule. Croyez-moi, je tressaillirai de joie, le jour où vous aurez retrouvé la raison.

—Je vous trouve bien impertinent, Monsieur. Sachez que je me vêts comme il me plaît. Vous m'avez mise hors de moi. Rien qu'à vous entendre, je me sens défaillir. Oui, je défaus, c'est-à-dire, je défaille, et je défaudrai encore plus tout à l'heure, ou enfin, je défaillirai, comme vous voudrez. C'est un scandale!

—De grâce, ma mie, remettez-vous. L'ire vous défigure, et vous vous décoiffrez si vous vous agitez tant. Tenez, vous avez là une mèche qui saille. Prenez garde, elle saillera davantage si vous bougez. Voilà, voilà, vous êtes tout ébouriffée, tout hirsute. Je vous avais prévenue.

—Vous êtes un monstre, vous mentez impudemment. Je lis le mensonge dans votre regard hypocrite. D'ailleurs, votre hilarité suffirait à vous trahir.

—N'étiez-vous pas censée défaillir? Diable! Je voudrais bien qu'on défaillît toujours comme vous le faites! Si tout le monde avait une santé aussi solide que la vôtre, les médecins seraient vite réduits au chômage. Quelle économie pour nous autres, pauvres maris!

—Quoi qu'il en soit, Monsieur, si vous continuez sur ce ton, et si vous ne faites pas une palinodie en bonne et due forme, je connais des avocats qui s'enrichiront.»

96

LA DÉFAITE D'UNE DIVA

La diva s'arrêta devant la porte distyle, et demanda au guide qui l'accompagnait si les chapiteaux des colonnes étaient doriques ou ioniens. «Ils sont corinthiens, Madame», répondit le cicérone avec une parfaite impassibilité. La cantatrice fut outrée. Elle était très vaniteuse et n'aimait pas qu'on lui en remontrât. L'outrecuidance, la fatuité du guide lui semblèrent si intolérables, qu'elle décida de chercher par tous les moyens à l'humilier, en le forçant à avouer son ignorance. Aussi le pressa-t-elle de questions. «Quel est donc ce sigle étrange?» demanda-t-elle en montrant un monogramme gravé dans la pierre. «Mais c'est le chrisme, Madame. Vous l'avez sûrement déjà vu ailleurs.

— Oui, oui, bien sûr, où avais-je la tête? Dites-moi plutôt pourquoi on a mis ces horribles poteries sous une vitrine. C'est prendre une bien grande précaution pour de la vaisselle brisée.

—Mais ce sont des vases sigillés. Il n'y a rien de plus précieux. D'ailleurs, nous avons ici beaucoup de pièces sigillographiques des plus intéressantes. Je vous les montrerai si vous le voulez bien.

—Non, merci. Diable! Que font ces ouvriers que je vois par la fenêtre?

—Attendez que je voie aussi... Il me semble bien qu'ils dépotent des thlaspis qu'ils vont transplanter dans la rocaille du jardin.

—Cela va de soi. N'y a-t-il rien de plus amusant? Je commence à m'ennuyer, au milieu de ces antiquailles.

—Madame désire-t-elle voir des statues grecques? Il y a ici un kouros[1], et là une magnifique korê[2].

—Tout cela est beaucoup trop archaïque pour moi.

—Nous avons aussi une salle réservée à l'art moderne.»

Cette fois, la diva s'avoua vaincue. Elle sortit précipitamment du musée, suivie par une horde de journalistes surexcités. Dès qu'elle fut dans sa voiture, à l'abri des regards indiscrets, elle éclata en sanglots. «Nous rentrons chez nous, dit-elle au chauffeur, j'annule tous mes rendez-vous. Je n'irai pas à la kermesse où je suis attendue.»

------

1. Ou «couros».
2. Ou «corê».

97

LA VIEILLESSE D'UN SAGE

Le mélomane, trop âgé désormais pour fréquenter encore les concerts, avait l'habitude de se consoler en évoquant le souvenir des partitions célèbres qu'il avait entendu interpréter, des cantatrices qu'il avait vues jouer et qu'il avait admirées, des musiciens ou des compositeurs célèbres qu'il avait pu rencontrer et qu'il avait écoutés parler avec un plaisir extrême. Bien des critiques influents se seraient vu admettre avec la plus grande joie — sans l'avoir cependant jamais été — auprès des célébrités que le vieux mélomane avait connues, ou eût pu connaître, si la maladie ne l'avait contraint, vers la fin de sa vie, à ne plus sortir du tout. Certes, la consolation était minime. Toutefois, les souffrances que lui avait coûtées cette obligation de ne plus fréquenter les milieux musicaux, le vieil homme ne les avait jamais avouées à personne, pas plus qu'il n'avait révélé les sommes sans doute énormes et exorbitantes que lui avait coûté son activité inlassable de mécène. Bien des gens, à sa place, se seraient laissés mourir ou se seraient abandonnés au désespoir. Le mélomane, lui, demeurait stoïque. Pendant toute sa vie il avait jugé avec sévérité ceux de ses amis qui s'étaient laissé entraîner sur la pente glissante de la mélancolie. Aussi, par fidélité à ses principes, tâchait-il de prendre la vie du bon côté et d'accepter les épreuves avec sérénité. Tous les jaloux qu'il avait fait pâlir d'envie autrefois, à cause de sa richesse, de ses relations, de son goût très sûr, presque inné — tous ces gens s'étaient plu, en apprenant la nouvelle de sa maladie, à répandre sur son compte les plus malveillantes rumeurs: on le soupçonnait même de sénilité. Le vieux sage faisait semblant de ne rien entendre, et il se consolait en songeant que les plus grands artistes, les plus purs génies que l'humanité ait connus s'étaient toujours ri de la calomnie et l'avaient toujours méprisée.

98

UN RÈGNE DE TRANSITION

Un très court interrègne suivit la mort du chef de l'État. Seuls quelques intimes avaient assisté à son trépas. Le vieillard s'était retiré dans son château, au milieu d'une antique et paisible chênaie. C'est là qu'il était mort, par un long après-midi d'automne où l'on entendait la pluie crépiter dans les chéneaux de zinc et sur les ardoises du toit. On ne le regretta guère. C'était un homme intransigeant, exigeant et négligent: son intransigeance l'avait rendu odieux à la population, ses exigences et sa négligence avaient lassé presque tous ses collaborateurs. Quant à sa succession, tout le monde était d'accord: il fallait le remplacer par un homme âgé, sans caractère et sans énergie, qui ferait oublier les frasques et les tares du défunt, et pendant le règne duquel on pourrait songer en paix à préparer l'avenir de la nation. Le vice-président était l'homme ad hoc pour jouer ce rôle effacé. C'était le parangon des minus habens. On ne lui connaissait aucune passion, sinon un certain goût pour l'art minoen, auquel d'ailleurs il ne comprenait pas grand-chose. Il ne devait sa haute situation qu'à l'inlassable activité de son père, qui avait fait fortune en vendant de la paraffine. Dès que la nouvelle de la mort du chef de l'État fut connue, il fut donc rappelé en toute hâte de Nouvelle-Zélande, où il passait ses vacances à chasser l'aptéryx. On lui céda presque immédiatement les rênes du gouvernement. Sa première décision politique fut d'ordonner qu'on ne fît aucunes funérailles publiques à l'ancien dirigeant, afin de ne pas exacerber la rancœur déjà très vive de la population. Certains partisans attardés du défunt parlèrent de scandaleuse ingratitude; toutefois, comme l'esprit courtisan était plus fort chez eux que la fidélité, on les vit bientôt se rallier avec enthousiasme au nouveau régime, dès qu'ils comprirent que rien ne serait changé et que leurs privilèges demeureraient intacts.

99

UN PARÂTRE

Montrant son fils d'un air découragé, le père de famille s'écria: «Ce loupiot lourdaud zozote sans arrêt! Je désespère de lui apprendre à parler.» La mère, toujours indulgente, répliqua: «À son âge, il est pourtant normal qu'il zézaie. Le zézaiement est très fréquent chez les enfants. C'est à tort à mon sens que tu te fais de la bile à ce sujet: tu es trop nerveux.

— Mais c'est que je ne veux pas que mon fils parle comme un zozo! Pourquoi prend-il tant de plaisir à accumuler les défauts? Car ce n'est pas tout: je dois encore t'avouer que son attachement excessif pour les animaux me trouble énormément. Cette zoolâtrie me semble éminemment suspecte.

—Je crois qu'il serait plus juste de dire «zoophilie».

—Peu importe! Nous devrions consulter un psychiatre.

—Voyons, tu exagères! Il est très sain d'esprit! Regarde comme il dort calmement! Son sommeil est zéphyrien, séraphique, éthéré.

—Justement, c'est un symptôme d'anémie, il me semble.

—Je crois plutôt que tu vois des signes symptomatiques partout. Tu as une imagination débridée, et cela te joue de mauvais tours. Je dirais même que c'est toi qui as besoin de voir un médecin: la fatigue te rend bougon et acariâtre.» Le mari convint qu'il était effectivement surmené, éreinté et épuisé. En effet, bien qu'il ne fût que simple suppôt dans une compagnie de second ordre, ses patrons exigeaient beaucoup de lui, le payaient peu et le respectaient encore moins. Aussi était-il toujours d'une humeur massacrante. Il consentit donc à consulter un spécialiste, qui, après un très bref examen, lui recommanda simplement de se distraire, en allant au théâtre, par exemple, pour assister à des saynètes. Hélas! ce remède fut sans effet, car le père de famille n'avait aucun humour: il revint de sa soirée encore plus cafardeux et splénétique qu'il ne l'était auparavant, et disputa son malheureux fils plus sévèrement qu'il ne l'avait encore jamais fait.

100

DES GENDARMES SOUPÇONNEUX

Un homme d'affaires galetteux au possible avait eu l'imprudence d'accrocher son imperméable à un portemanteau isolé. Ses trois portefeuilles (à savoir, son porte-billets et ses deux porte-monnaie) se trouvaient dans la poche intérieure du vêtement. Un cambrioleur charitable s'en avisa et décida, pour rendre service au propriétaire, de le soulager de ces objets encombrants. Quand l'homme d'affaires s'en aperçut, il devint tout à fait furieux, et porta plainte sur-le-champ. Certes, la perte était pour lui minime, mais elle le mettait néanmoins en porte à faux[1] vis-à-vis des employés de l'hôtel où il était descendu: sans son carnet de chèques, sans ses cartes de crédit, sans aucune carte d'identité, comment allait-il régler la note qu'on lui remettrait? C'était on ne peut plus embarrassant, et le pauvre homme s'en trouvait fort gêné. Lorsque les policiers arrivèrent, ils soumirent la victime à un interrogatoire des plus serrés: «Quand vous aperçûtes-vous, Monsieur, du délit dont vous fûtes, ou plus exactement, dont vous soutenez avoir été l'objet?

—À dix heures cinquante-huit, Messieurs, car onze heures n'étaient pas encore sonnées. Il y a donc au minimum vingt-trois minutes que le crime a eu lieu, puisqu'il est maintenant onze heures vingt et un.

—Vous avez un sens aigu de l'observation, je vous en félicite. Toutefois, dites-moi, remarquâtes-vous un quelconque indice pouvant faire croire à un vol, lorsque vous découvrîtes la disparition de votre argent? En effet, lorsque vous nous téléphonâtes, tout à l'heure, vous nous dîtes que vous aviez été victime d'un vol, et pourtant, lorsque nous allâmes, mon collègue et moi, sur les lieux de l'incident, nous ne vîmes rien qui pût nous faire soupçonner qu'un acte délictueux et illicite y avait été commis.

—C'était une supposition de ma part, certes, mais très vraisemblable, il me semble.

—À vos yeux, peut-être, mais pas aux nôtres. Qui nous prouve qu'il y avait vraiment de l'argent dans votre manteau?»

---

1. Ou «en porte-à-faux».

BIBLIOGRAPHIE

Dictionnaires

Dictionnaire encyclopédique Quillet, Paris, Librairie Aristide Quillet, 1962.

Grand Larousse en cinq volumes, Paris, Librairie Larousse, 1987.

Petit Larousse, Paris, Librairie Larousse, 1959.

Petit Larousse en couleurs, Paris, Librairie Larousse, 1988 (édition 1989).

ROBERT, Paul. *Petit Robert. Dictionnaire alphabétique et analogique de la langue française*, 20ᵉ éd., Paris, Société du Nouveau Littré, 1975.

Manuels et grammaires

GREVISSE, Maurice. *Le bon usage*, 11ᵉ éd., Éditions du Renouveau pédagogique (Duculot), 1980.

Le Nouveau Bescherelle: L'Art de conjuguer; Dictionnaire de douze mille verbes, Paris, Hurtubise / Hatier, 1980.

Le Nouveau Bescherelle: L'orthographe pour tous, Hurtubise, 1987.

THOMAS, Adolphe V. *Dictionnaire des difficultés de la langue
française*, Paris, Librairie Larousse, 1956.

Recueil de dictées

GREVISSE, Maurice. *La force de l'orthographe; 300 dictées
progressives commentées*, Duculot, 1982.

TABLE DES MATIÈRES

Typographie et mise en pages sur micro-ordinateur:
MacGRAPH, Montréal.

Achevé d'imprimé en septembre 1989,
par les Ateliers graphiques Marc Veilleux,
à Cap Saint-Ignace, Québec.